D0233307

Ontsnapt!

GERBRAND FENIJN

Ontsnapt!

Illustratie:Wouter Tulp

Callenbach

De gecursiveerde woorden worden toegelicht op pagina 106-107

© Uitgeverij Callenbach – Kampen, 2009
Postbus 5018, 8260 GA Kampen
www.kok.nl

Omslagillustratie en illustraties binnenwerk Wouter Tulp
Kaart p. 6 Wouter Tulp
Omslagontwerp Hendriks.net
Layout/dtp Gerard de Groot
ISBN 978 90 266 1531 3
NUR 283/284
Leeftijd vanaf 10 jaar

Alle rechten voorbehouden. Niets uit deze uitgave mag worden verveelvoudigd, opgeslagen in een geautomatiseerd gegevensbestand, of openbaar gemaakt, in enige vorm of op enige wijze, hetzij elektronisch, mechanisch, door fotokopieën, opnamen, of op enige andere manier, zonder voorafgaande schriftelijke toestemming van de uitgever.

Inhoud

1. Rake klappen

'Hé, Douwe, wat zie jij eruit!'

De jongen die wordt aangesproken kijkt op en haalt even de doek voor zijn gezicht weg. De lap is rood van het bloed.

'Tijs! Kijk eens hoe ze me te pakken hebben gehad.'

'Gevochten?'

'Schei uit! Ze sprongen zo boven op me.'

'Waren het weer die broers?'

'Hoe kun je het raden! Ze hebben me eerst zo getreiterd dat ik niet meer bij hun vader wilde werken en nu... Wacht even, ik bloed als een rund...'

Douwe drukt de doek weer steviger tegen zijn neus.

'Meteen naar Den Burg gaan,' zegt Tijs. 'Dit moet je melden bij de schout. Zoiets pik je toch niet?'

'Wat schiet ik daarmee op? Er waren geen getuigen bij en die jongens ontkennen natuurlijk alles.'

'Wat moest je eigenlijk nog bij hun boerderij?'

'Mijn laatste loon ophalen. Ik had nog wat tegoed. Hun vader gaf het me zo mee, maar toen ik bij het hek was, doken ze ineens op. Ze pakten mijn geld af en sloegen me in elkaar.'

'Lafaards! Heb je pijn?'

'Och, die pijn is het ergste niet en dat bloeden stopt wel, maar ik ben het geld kwijt en dat hadden we net zo nodig.'

'Je hebt dus nog steeds geen nieuw werk gevonden?'

'Nee, het is hopeloos. Wacht, ik ga even zitten.'

Douwe stapt over een greppel en gaat op een *tuinwal* zitten. Tijs ploft naast hem neer.

Het is een mooie rustige avond. De zon staat als een rode bol boven de duinen.

De *schapenboeten* en de boerderijen liggen in een bleek-oranje nevel.

In de verte klinkt geblaat van schapen en gekwaak van een koppel eenden, maar verder is het muisstil. Voor begin december is het nog niet echt koud.

Douwe haalt de doek voor zijn gezicht weg. Het bloedt gelukkig niet meer zo erg. Hij vervolgt hun gesprek. 'Ik heb soms wat klussen, maar daar kun je niet van leven.'

'Zie je wel, ik heb het al vaak gezegd, we moeten hier weg.'

'Ik snap niet dat je "we" zegt, Tijs. Jij hebt een prachtbaan in Oudeschild. Met een bootje venten langs de schepen. Dat wil iedereen wel.'

'Maar in Amerika kun je tien keer zo veel verdienen. Daar ligt het werk voor het opscheppen...'

'Amerika,' zucht Douwe. 'Daar heb je het steeds over, maar ze kunnen me hier niet missen. Mijn vader leeft niet meer, mijn opa is oud, mijn moeder kan moeilijk lopen... En zus Antje, nou, dat weet je...'

Tijs Mossel, Douwes kameraad, knikt begrijpend. 'Ja, Antje is een geval apart.'

In gedachten ziet hij het forse meisje voor zich. Ze is al zestien, maar ze heeft weinig verstand en kan vreselijk driftig zijn. Douwe is de enige die haar in bedwang kan houden, en vaak is hij het die haar fouten goedmaakt.

Tijs begrijpt dat Douwe zijn familie niet in de steek wil laten. Hij vindt het erg jammer. Met Douwe zou hij naar de andere kant van de wereld willen gaan, maar in zijn eentje...

'Kom op, we gaan verder,' zegt Douwe. Hij springt over de greppel en loopt naar de oude boerderij, een stukje verder aan de weg. Daar woont hij al vanaf zijn vierde. Het is een bouwvallig krot, maar wat moeten ze anders?

'Beter een lekkend dak boven je hoofd dan helemaal geen dak,' zegt opa altijd.

Sinds zijn vader op zee gebleven is, moet Douwe voor de kost zorgen. Moeder en opa doen soms wel wat werkjes, maar daar verdienen ze niet veel mee.

'Ik loop met je mee naar huis,' zegt Tijs. 'Dan schrikken ze niet zo erg.'

'Ja, ik zie er zeker niet uit, hè?'

'Je wang is opgezwollen, je hebt een blauw oog, en je gezicht zit onder het bloed.'

'Dan ga ik me eerst maar even wassen bij de *kolk*.'

'Nee, niet doen. Als je opa en je moeder bij het *gerecht* moeten getuigen, kunnen ze vertellen hoe je eruitzag toen je thuiskwam.'

'Ja, maar ze schrikken zich nu een ongeluk.'

'Dat moet dan maar. 't Gaat erom dat de rechtszitting goed voor je afloopt.'

Samen lopen ze het pad af, de lange dunne Tijs en de korte brede Douwe met zijn blonde stekelhaar.

Als Douwe thuiskomt, raakt iedereen in paniek.

'Jongen, wat is er met jou gebeurd?' roept moeder.

'Ben je gevallen?' vraagt opa.

Antje is helemaal overstuur.

Ondanks zijn pijn moet Douwe lachen.

'Het is maar een bloedneus hoor,' stelt hij Antje gerust.

Moeder haalt vlug een bak water en opa komt met de zalfpot aanlopen.

Intussen vertelt Tijs wat hij van Douwe gehoord heeft: 'Ik was er jammer genoeg niet bij, maar die tweelingbroers zijn nog niet klaar met ons.'

'Lafaards zijn het,' zegt opa. 'Die Melis en Melle zijn bijna achttien en dan met z'n tweeën tegen een jongen van veertien...'

'Ja, en het ergste is dat ze mijn geld gepikt hebben,' zucht Douwe.

Moeder wast zijn gezicht schoon met warm water.

'Je moet naar Den Burg gaan, naar de schout,' zegt opa.

Tijs knikt. 'Zei ik ook. Laat het er niet bij zitten.'

'Morgen dan maar,' mompelt Douwe. 'Ze hebben in m'n ribben gestompt en tegen mijn benen geschopt. Eerst moet de pijn maar wat wegtrekken.'

'Je moet een knuppel nemen en ze in elkaar slaan!' roept Antje.

Ze schopt kwaad tegen een mand. Er rollen drie rapen over de vloer.

'Kalm, meid!' sust opa. 'Met kwaadheid schieten we niets op. De schout is er om het voor Douwe op te nemen.'

'Douwe durft niet eens naar de schout,' roept Antje weer. 'Hij is doodsbang voor Melis en Melle. Ik ga morgen met een bezem naar ze toe en dan sla ik ze ook een bloedneus.'

'Als je het maar laat,' zegt moeder.

Opa is boos. 'Jij moet je er niet mee bemoeien, Antje.'

Tijs grinnikt om Antjes uitval. Hij weet dat achter die boze woorden alleen maar angst zit. Bezorgdheid voor haar broer die haar beste makker is.

'Douwe gaat echt wel naar Den Burg,' zegt Tijs.

'Nou, zeker!' zegt Douwe. Hij kijkt in de spiegel en bestudeert zijn pijnlijke gezicht.

Was Tijs maar tien minuten eerder gekomen, peinst hij. Dan had hij kunnen zien wat er gebeurde. Nu was er geen getuige bij.

'Het wordt hier koud,' zegt opa. Hij pakt de *tondel* van tafel en slaat een stuk staal tegen een *vuursteen*.

Opa is er heel handig mee. Hij is nog maar net aan de gang of er laait een vrolijk vuurtje op in de haard. Nu kunnen er grotere stukken hout op gelegd worden. Gedroogd *drijfhout*, dat Douwe en Antje achter de dijk gevonden hebben bij Dijkmanshuizen.

Opa wrijft in zijn handen. 'Lekker, die warmte.'

'Ik stap op,' zegt Tijs, 'anders wil ik hier niet meer weg.'

2. Brand in de schapenboet

Midden in de nacht wordt Douwe wakker.

Buiten klinken vreemde geluiden: geroep van stemmen, gerinkel van bellen. Wat gebeurt daar allemaal? Douwe klimt uit bed en schiet in de kleren. Nog voor hij buiten staat heeft hij al gezien wat er aan de hand is. Verderop, achter een bosje, laaien hoge vlammen op. Douwe holt in de richting van de vuurhaard.

'Bij wie is het?' vraagt hij aan zijn buurman die ook komt aanlopen.

'Bij Jan Kossman. Zijn schapenboet brandt als een fakkel.'

'O, gelukkig, een boet en geen huis.'

'Nou, een verbrande boet kost hem ook geld.'

'Deze niet. Die stond op instorten, Ze waren al van plan een nieuwe te bouwen.'

De buurman kijkt verbaasd. 'Dat was van de buitenkant niet te zien.'

'Klopt. Hij stond ver in het land. Maar ik weet het, want ik heb er een tijdje gewerkt.'

'Ik ga toch even kijken.'

'Ik ga mee.'

Douwe loopt nu in een rustiger tempo met zijn buurman naar de brand. Hij voelt nog steeds aan alle kanten pijn. Soms wrijft hij even langs zijn pijnlijke wang.

Er zijn veel mensen op de been. Ze komen uit De Waal, het dorp dat vlakbij ligt.

Als Douwe bij de boet aankomt, slaan de vlammen al hoog uit het dak. Blussen is niet meer mogelijk. Intussen komen er steeds meer mensen aanlopen. Douwes vriend Tijs staat vooraan.

'Was dit jouw wraak?' fluistert Tijs grinnikend als hij Douwe ziet.

'Hou je stil, joh!'

'Ik ken je toch wel beter.'

'Ja, maar anderen denken het misschien wel. Melle en Melis bijvoorbeeld.'

'Nee toch?'

'Ik heb in mijn kwaadheid geroepen dat ik bij hun de boel in brand zou steken.'

'Echt waar?'

'Ja, ik was razend.'

'Oei, dan zullen ze wel aan je denken. Ik zal opletten. Als jouw naam genoemd wordt waarschuw ik meteen.'

'Hoeft toch niet?'

'Maar ik doe het wel.'

Douwe blijft nog even naar het schouwspel staan kijken.

Hij ziet dat het dak van de boet instort. Een regen van vonken stijgt op naar de hemel.

'Gauw gebeurd,' mompelt hij.

In het heldere maanlicht loopt hij naar huis terug. Daar is alles nog rustig.

Moeder en opa zijn door het lawaai heen geslapen. Alleen de kamer van Antje is leeg. Ze slaapt altijd heel licht. Ze is vast naar de brand gaan kijken. Pas als Douwe op hun deuren klopt schrikken opa en moeder wakker. Ze kleden zich vlug aan en gaan naar beneden.

Opa kijkt door het raam naar buiten.

'Brand bij Kossman,' mompelt hij. 'Als ze jou maar niet verdenken, Douwe, zo'n boet vliegt niet zomaar in brand.'

'Ja, je had gisteravond meteen naar de schout moeten gaan,' zegt moeder.

Douwe tuurt stil naar de vloer. Hij weet dat ze gelijk hebben. De broers Kossman zullen zeker zijn naam noemen.

Net als hij naar buiten wil gaan om Antje te zoeken, komt Tijs binnen.

'Het ziet er niet best voor je uit, Douwe,' waarschuwt hij. 'Ik stond vooraan en toen hoorde ik steeds jouw naam noemen.'

Opa knikt. 'Daar waren wij ook al bang voor.'

'Maar die boet is het ergste niet,' gaat Tijs verder. 'Binnen is iemand verbrand.'

'Weten ze wie het is?' vraagt moeder geschrokken.

'Ze denken aan Krijn Knientje, die zwerver. Hij slaaps 's nachts vaak in boeten en schuren.'

Douwe kijkt zijn vriend verstomd aan. 'Een dode...?'

'En nu noemen ze jouw naam, Douwe,' zegt opa. 'Dat ziet er niet best uit.'

'Het ergste is dat ze een bewijs hebben,' fluistert Tijs. 'Ze hebben iets gevonden dat jullie extra verdacht maakt.'

'Een bewijs?'

'Een duidelijk bewijs. Missen julie hier niks?'

Moeder slaat haar handen voor haar ogen: 'O, de tondel! De tondel is weg!'

'De tondel,' fluistert Douwe ontzet. 'Iemand is met de tondel naar het erf van Kossman gegaan en heeft daarmee de boet in de brand gestoken. Ze hebben het ding gevonden en zagen dat onze naam erop staat.'

'Denk je hetzelfde als ik?' vraagt Tijs met zijn hand op Douwe's schouder.

'Antje?'

'Antje!'

'Ik wil niet dat ze haar oppakken!' zegt Douwe met een klap op tafel. 'Als ze haar veroordelen komt m'n zus haar hele leven niet meer vrij.'

'Nee, dat mag zeker niet gebeuren,' knikt moeder.

'Er zit maar één ding op,' zegt Tijs.

'Zelf de benen nemen, dan krijg jij de schuld.'

'Maar waar moet ik naartoe?'

'Jij? We gaan samen ver weg. Ouwe vrienden laten elkaar nooit in de steek. Pak vlug wat spullen en kom mee.'

'Ja, maar ik kan toch niet zomaar...'

Douwe wordt spierwit. De gedachte dat hij zijn eiland moet verlaten maakt hem wanhopig.

'Maar wat wil je dan?' vraagt Tijs. 'Moet Antje soms...?'

Besluiteloos staat Douwe midden in de kamer.

'Er zit niks anders op,' zucht hij.

Moeder en opa hebben het er vreselijk moeilijk mee.

Ze zijn zo aangeslagen, dat ze hem niet eens helpen met wat dingen in te pakken.

Douwe slaat de armen om hen heen.

'Och, jongen toch,' zegt z'n moeder met verstikte stem. 'En waar willen jullie dan naartoe?'

'Ver weg,' zegt Tijs. 'In Amerika kent niemand ons.'

'Amerika...'

'Antje mag nooit bekennen, hoor!' zegt Douwe. 'Ze mag nooit toegeven dat zij die brand heeft aangestoken.'

'Ik laat het haar beloven,' knikt opa.

'Laten we haar vlug gaan halen,' zegt moeder geschrokken als ze naar de klok kijkt. Opa schiet zijn jas aan en moeder slaat een warme doek om.

In de verte ziet Douwe de brand nog nasmeulen. Jammer dat hij Antje niet meer kan groeten. Geen mens zal hem méér missen dan zij. Maar 't kan niet anders. Hij moet weg, en vlug ook! Hij loopt nog even met Tijs naar diens huis aan de andere kant van De Waal. Nadat Tijs ook wat spullen in een tas heeft gegooid, vluchten ze weg in de richting van Oudeschild, de haven van het eiland.

3. Op de vlucht

De *vlet* botst zacht tegen de flank van het grote schip. Douwe houdt zich stevig vast aan de rand van de smalle boot waarmee ze van het eiland zijn weggevlucht. De maan zit achter de wolken. Alleen de scheepslantaarns verspreiden wat licht.

'Bedankt dat je ons hiernaartoe hebt gebracht, Obbe,' zegt Tijs tegen de man die ze naar het zeilschip heeft gevaren.

'Geen dank, Tijs. Ze wachten boven op je. Ze hebben mijn seinen gezien.'

'Nou, dan doe ik daar zelf wel m'n woordje.'

Met zwiepend geluid valt er een touwladder naast de jongens neer.

'Jij maar eerst, Douwe,' zegt Tijs. 'Het ding slingert, maar 't is gewoon een kwestie van klimmen en stevig vasthouden.'

'En m'n spullen? De tas en zo...'

'Hijs ik op als je aan boord bent.'

Douwe merkt nu pas hoe hoog zo'n zeeschip is. Het kost hem veel moeite om naar boven te komen. Het is gaan waaien en de touwladder zwaait onrustig heen en weer. Halverwege het dek schiet een van zijn voeten uit het touw. De ladder draait een paar slagen om hem heen zodat hij vast komt te zitten. Diep onder zich ziet hij de woelende golven. Het lijkt iets uit een angstdroom. Gelukkig slaagt hij erin zijn voet weer op het touw te krijgen en verder te klimmen. Als hij zich over de railing heeft laten vallen, durft hij amper meer naar beneden te kijken.

Tijs laat eerst de bagage optakelen en volgt daarna zelf. Het verbaast Douwe hoe snel hij dat doet. Als een aap vliegt hij omhoog. 't Is te merken dat hij niet voor het eerst langs zo'n touwladder omhoogklimt. Als *parlevinker* moet hij wel handig zijn met klimmen. Zodra ook Tijs aan boord is, vaart Obbe met het bootje naar het eiland terug. Een geluk dat hij wilde meewerken. Op dit soort hulp staat een hoge straf.

Aan boord wordt Tijs hartelijk begroet door de bootsman. Ze kennen elkaar al een tijd. Hij brengt Douwe en Tijs naar de officiershut. Daar staan de stuurman en de kapitein over een zeekaart gebogen.

De mannen stoppen hun gesprek om de bootsman aan te horen.

Na diens verhaal kijken ze Douwe doordringend aan. Is deze jongeman echt zo onschuldig? Of is hij een vluchtende vechtersbaas? Maar als ze zien hoe eerlijk hij uit zijn ogen kijkt en hoe rustig hij op hun vragen antwoordt, geven ze hem ten slotte hun vertrouwen.

Hetzelfde geldt voor Tijs, die ze al kennen. Als de jongens beloven ijverig hun taken aan boord te vervullen, komen hun namen gewoon op de *scheepsrol* te staan en ontvangen ze aan het eind van de reis hun vaarloon.

Als ze weer buiten staan, slaan de vrienden opgelucht de armen om elkaar heen. Een nieuwe toekomst ligt voor ze open.

De volgende morgen licht 'Het Waterpaard' al vroeg de ankers. Langzaam zeilt het schip in de richting van het Marsdiep, het zeegat tussen Texel en Den Helder.

Douwe kijkt verbaasd om zich heen. De driemasters waar hij vaak op de dijk naar staat te turen, zijn nu allemaal vlakbij. Ongelofelijk, wat een kanjers zijn het! Ze moeten ook wel groot en sterk zijn, want sommige gaan helemaal naar Oost-Indië of China.

De zeeschepen liggen hier vaak voor de kust van Texel te wachten op geschikt weer en een gunstig tij. Vandaag is dat allebei het geval. Daarom vertrekt nu het ene schip na het andere.

'Binnenkort is dit allemaal verleden tijd,' zegt Tijs. Hij kijkt treurig naar de schepen. Douwe weet wat hij bedoelt. Als het *Noordhollands kanaal* klaar is, hoeven de schepen niet meer op zee te wachten.

'Ja, als het kanaal klaar is ben jij je werk kwijt,' zegt Douwe.

'Waarom denk je dat ik anders naar Amerika wil?'

Douwe knikt. Met een vreemd gevoel kijkt hij naar de Texelse kust. Helemaal rechts ziet hij de toren van Oosterend en tegenover zich de spits van zijn eigen kerk in De Waal.

Op de dijk lopen mensen. Het lijken stipjes. Zal opa erbij zijn? Een gek idee dat opa misschien op zoek is naar drijfhout en dat hij, Douwe, op weg is naar Boston, een belangrijke stad in dat verre land, Amerika.

Na een poosje vaart het schip de Noordzee op. Geleidelijk aan ziet Douwe zijn eiland achter zich vervagen. Alleen het slanke torentje van Den Hoorn en de eenzame toren van het verlaten dorp *De Westen* zijn nog in de verte te herkennen.

Douwe is verdrietig, intens verdrietig. Zal hij moeder en opa en Antje ooit terugzien? Hij moet ze hier achterlaten, en met elke minuut die verstrijkt, wordt de afstand groter.

4. Land in zicht!

Wanneer zien we nu eindelijk weer eens land? Douwe staat over de zee te turen als hij een vriendschappelijke tik van Tijs op zijn arm voelt.

'Sta je weer in de verte te staren?' lacht Tijs. 'Jij bent toch ook een echte *landrot*, hè.'

Douwe haalt zijn schouders op. 'Ik heb nu wel genoeg golven gezien.'

'En we zijn nog maar net onderweg!'

'Nou ja, die weken komen ook wel weer om,' zegt Douwe berustend.

'Laten we proberen zo goed mogelijk Engels te leren,' zegt Tijs.

'Mijn idee! Ik probeer zo veel mogelijk Engelse woorden op te pikken van de matrozen. Daar kunnen we in het nieuwe land ons voordeel van hebben.'

'Wat kunnen we daar voor werk gaan doen?' vraagt Douwe zich af.

'Ik heb het aan de zeelui gevraagd en die zeggen dat je veel kunt verdienen in de handel. Nou, dat heb ik goed in mijn oren geknoopt.'

'Maar ik wil het liefst mijn eigen boerderij.'

'Dat is ook mijn ideaal, maar dat kan alleen met geld. Daarom wil ik eerst veel gaan verdienen.'

'Geld verdienen... was het maar vast zo ver.'

'We houden er de moed in, hoor!' zegt Tijs met een klap op Douwes schouder.

'Ja pa,' grinnikt die.

Het wordt een lange tocht over de oceaan. Het Waterpaard heeft veel last van tegenwind.

De kapitein moppert dat ze maar niet opschieten, en de stuurman stelt vast dat ze een stuk zijn afgedreven naar het zuiden. Ze zullen hun koers moeten verleggen.

Douwe en Tijs hebben intussen elk een eigen taak gekregen.

Douwe als *koksmaat* en Tijs als hulp voor de scheepstimmerman. 's Avonds wisselen ze hun ervaringen uit en kletsen ze ontspannen over hun idealen.

Nu Douwe weet dat hem op Texel alleen maar narigheid staat te wachten, richt hij zich steeds meer op de toekomst.

Als het hem lukt een boerderij te kopen, laat hij zijn huisgenoten overkomen naar het nieuwe land. In zijn hart weet hij wel dat moeder, Antje en opa liever op Texel zullen blijven, maar je weet nooit...

Op een morgen klinkt in de *uitkijk* de kreet: 'Land in zicht!'

Douwe en Tijs rennen naar het dek en zien in de verte een kuststrook met beboste oevers.

'Dat is de Amerikaanse staat Massachusetts,' vertelt de bootsman. 'Nu is het niet ver meer naar Boston.'

De jongens zien huizen en dorpen die op hoge heuvels gebouwd zijn. Wat een verschil met de huisjes in Oudeschild, die maar amper boven de dijk uitsteken.

'Ziezo, we zijn er bijna,' zegt Tijs tevreden.

Douwe knikt: 'Ja, nog even...'

Hij is toch wel benieuwd wat ze zullen aantreffen in het grote, onbekende land.

5. Avonturiers

Douwe en Tijs kijken hun ogen uit in Boston. Ze hebben nog nooit zo'n bedrijvige stad gezien.

Wat een gebouwen en pakhuizen! Wat een vloot aan schepen! Vergeleken met deze drukte stelt de *rede van Texel* niets voor.

Zodra ze hun vaarloon hebben ontvangen gaan ze op zoek naar werk, maar dat valt tegen. Na dagenlang speuren en vragen heeft nog niemand hen in dienst genomen.

Ten slotte verlaten ze Boston om hun geluk te beproeven op het platteland. Maar ook daar zit het ze niet mee. Soms vinden ze een klus voor een paar dagen. Maar daarna moeten ze weer verder zoeken en zo trekken ze verder het binnenland in.

Op een dag hebben ze geluk. Een boer kan wel twee knechten gebruiken. Zijn zoons maken een buitenlandse reis en zolang die nog afwezig zijn, kunnen Douwe en Tijs bij hem aan de slag.

De jongens beginnen met veel plezier aan hun nieuwe taken. Vooral Douwe geniet elke dag op de akkers en tussen het vee. De boer en zijn vrouw zijn vriendelijke mensen en ze verdienen niet onaardig.

Als er vier maanden verstreken zijn, wordt Tijs onrustig.

Op een avond, als ze uitrusten op hun slaapplek, moppert hij: 'Ik ben niet van plan hier mijn hele leven te blijven.'

'En ik hoop juist dat die zoons maar flinke vertraging hebben,' zegt Douwe.

'Ja, jij zou hier wel je hele leven willen blijven.'

'Nou, mijn hele leven... maar we hebben het hier toch goed voorlopig?'

'Ik wil meer verdienen. Ik heb gehoord dat bij de grote rivieren goud te verdienen is in de handel van pelzen en huiden.'

'Zodra die jongens terug zijn, ga ik met je mee.'

'Ik wil nu al vertrekken, we verliezen hier alleen maar tijd.'

'Dat valt toch wel mee? Ik ben elke dag blij dat we nog werk hebben.'

Tijs staat met een ruk op en loopt nijdig het erf af.

'Ik ga echt wel mee, Tijs,' roept Douwe hem na. 'Nog een paar weken, dan móeten we wel.'

Tijs antwoordt niet.

Er verlopen enkele weken en Tijs wordt steeds onrustiger. Je kunt aan zijn gezicht zien dat hij het niet lang meer uithoudt.

Op een morgen staat hij met zijn plunjezak over de rug bij Douwes bed.

'Als je nu niet meegaat, ga ik alleen,' klinkt het kortaf.

'Joh, ik voel me al een paar dagen beroerd. Ik hoest me een ongeluk. Wacht nog even tot ik beter ben, dan nemen we hier samen ontslag.'

'Vergeet het maar, je hebt elke dag een andere smoes. Ik ben het zat!'

'Wacht nou even, Tijs. Wacht, dan kleed ik me aan. Ik ga met je mee! Tijs!!!'

Douwe schiet in zijn kleren en loopt naar buiten, maar Tijs is al nergens meer te zien. Welke kant is hij opgegaan?

Voor de boerderij staat Douwe stil. Er lopen hier verschillende paden, maar in welke richting moet hij Tijs zoeken? In het vroege morgenlicht speurt Douwe rond. Soms roept hij luid: 'Tijs, ik wil met je mee! Kom nou terug!'

Maar het is allemaal voor niets. Tijs laat zich niet meer zien.

Douwe begrijpt van de boer dat Tijs de vorige dag zijn geld al gekregen heeft en dat zijn besluit dus vaststond. Hij was er dus ook al vanuitgegaan dat zijn vriend niet mee zou gaan.

Treurig gaat Douwe naar zijn slaapplaats terug. Hij zal Tijs vreselijk missen. Misschien had hij gelijk dat hij steeds een smoes verzon om maar te kunnen blijven.

Nog drie maanden blijft Douwe op de boerderij werken, dan komen de zonen van de boer terug en moet hij vertrekken. Gelukkig geeft de boer hem buiten zijn loon nog wat extra geld mee, en ook een tas met brood, noten en appels.

Nu hij in zijn eentje buiten loopt, beseft Douwe pas wat eenzaamheid betekent. Wat zou hij graag weer met Tijs verdergaan, maar waar zou hij zijn? Hij noemde wel eens een plaatsje dat Coppershield heette, maar dat moet ver weg liggen, ergens in het westen. Het is er een verlaten oord, een gebied van indianen en wilde dieren. De boer was er in zijn jonge jaren een poosje geweest en hij vertelde er wel eens over.

Na een paar dagen doelloos rondgelopen te hebben, besluit Douwe die kant maar op te gaan. Misschien kan hij het dan toch nog goedmaken tegenover zijn vriend. Het wordt een lange reis. Door onderweg wat klusjes te verrichten op boerderijen en in werkplaatsen, hoeft hij zijn spaargeld niet aan te spreken. Dat bewaart hij zuinig in de voering van zijn jas.

Pas tegen de herfst bereikt Douwe het gebied waar de pelshandelaren wonen. Daar ligt inderdaad ook het plaatsje Coppershield, waar Tijs misschien zijn stek heeft gevonden. Maar hoe Douwe ook zoekt, hij vindt geen spoor van zijn vriend. Waar kan hij toch gebleven zijn?

Douwe speurt verder. Misschien is het Tijs in Coppershield tegengevallen en is hij naar een andere plaats vertrokken.

Hij besluit daarom maar verder te reizen. Hij trekt langs eenzaam gelegen nederzettingen en forten, maar overal is het mis.

Pas na twee maanden ontmoet hij iemand die met Tijs heeft

samengewerkt. Een Indiaan uit Canada. Volgens deze man is Tijs naar het stadje Brookfield vertrokken. Dat ligt nog verder naar het westen.

'Brookfield!' Dat knoopt Douwe in zijn oor.

Na nog wat zoeken en informeren, bereikt hij eindelijk het bedrijvige plaatsje. Het is al avond, daarom zoekt hij deze dag niet verder. Omdat het is gaan vriezen, besluit hij voor een keer in een herberg te overnachten. In De Gouden Otter hebben ze boven nog een kamer vrij. Fijn om na lange tijd eens niet in een schuur of onder de open hemel te hoeven slapen.

6. De Gouden Otter

Midden in de nacht schrikt Douwe wakker. Beneden in de gelagkamer klinkt geschreeuw. Wat is daar aan de hand? Glazen en schalen vallen aan gruzelementen, er wordt geslagen en gevochten.

Gelukkig heeft Douwe niets met die ruzie te maken. Hij vindt het best zo en draait zich nog eens om in zijn warme bed.

Maar net als hij weer indommelt, schreeuwt iemand: 'Brand!'

Als Douwe overeind gaat zitten, prikt een scherpe brandlucht in zijn neus. Hij springt uit bed en schiet in zijn kleren om naar beneden te gaan. Maar op de gang komt hem een verstikkende rook tegemoet. Geschrokken rent hij terug naar zijn kamer. De balkondeuren gaan niet open, zodat hij ze met een kruk aan diggelen moet slaan. Als hij buiten staat, ziet hij dat de hoeken van het balkon al branden. Zonder na te denken gooit hij zijn tas naar beneden en springt in een boom, waarlangs hij zich neer laat glijden.

Met bonzend hart staat hij even later naar de brand te kijken. De hoge vlammen brengen akelige herinneringen naar boven. Hij moet denken aan die nacht op Texel toen de boet van boer Kossman afbrandde. Opeens is het net of hij daar weer is.

Het wordt druk bij de herberg. Van alle kanten komen mensen aanlopen. Het houten gebouw is algauw reddeloos verloren.

Plotseling geeft iemand Douwe een por. Als hij opzij kijkt, geeft hij een verraste kreet. Daar staat... Tijs!

'Verhip, joh, ik zoek je al maanden!'

'En ik dacht dat je je hele leven op die boerderij wou blijven.'

'Eerst wel, maar ik miste je, dus ben ik op zoek gegaan. Het leek me gevaarlijk voor je. Jij in je eentje in dit woeste gebied.'

'O, maar ik heb me goed gered, hoor. Ik ben nu met een hele groep. Kom maar mee, dan kun je kennismaken met de jongens.'

Tijs neemt Douwe mee naar een smalle straat.

Bij een verveloze deur staat hij stil.

'Jouw hotel?' vraagt Douwe.

'Lekker goedkoop en veilig. Kom even mee naar boven.'

Tijs rent een hoge houten trap op en loopt voor Douwe uit een somber zaaltje binnen. Er staan wat stoelen en tafeltjes. Bij een soort bar gaan de jongens zitten.

'Ik schrok me wezenloos,' zegt Douwe. 'Lig je lekker te slapen in die herberg en staat opeens de hele boel in de brand.'

'Wat zeg je? Logeerde je in De Gouden Otter?'

'Mag het een keer na zo veel maanden?'

'Toevallig was ik vanavond ook in die herberg, maar dat mogen de sheriff en zijn helpers niet weten.'

'Was jij in De Gouden Otter? Had je dan iets met die brand te maken?'

'Ik niet, maar een van onze jongens zocht ruzie en bij het vechten gingen ze met brandende stukken hout smijten.'

'Leuke vrienden heb je.'

'Je kunt hier niet te kieskeurig zijn. 't Zijn ruwe gasten, maar we hebben elkaar nodig, want er zit bij de weg veel gespuis.'

'Wat zijn jullie als groep van plan?'

'We willen in de pelzenhandel. Zo'n vijftig *mijl* verder aan de rivier zitten veel otters en bevers. Als je die vangt leveren ze een fortuin op.'

'Ik voer liever dieren dan ze te villen,' bromt Douwe.

Tijs schenkt Douwe koffie in uit een *pruttelkan* en gaat bij hem zitten.

'Hoe wist je nou dat ik hier was?'

'Dat wist ik niet, het was een gok.'

'Goed dat we elkaar terugzien.'

'Ja, die kans is niet groot in dit eindeloze land.'

'Ben jij hier al een beetje gewend?' vraagt Tijs.

'Nou, als ik kiezen kon, ging ik zo naar huis.'

Tijs knikt. Hij zucht. 't Lijkt wel of hij een vervelende gedachte wil wegduwen.

'Denk jij nog wel eens aan je ouders?' vraagt Douwe.

Tijs kan niet antwoorden, want er stommelt iemand de trap op.

'Ik ben hier, Larry!' roept Tijs zonder om te kijken.

De deur zwaait open en er stapt een ongure man binnen. Hij draagt vieze kleren en heeft een grauwe stoppelbaard.

'Wie heb je daar bij je?' vraagt hij wantrouwig aan Tijs als hij Douwe ziet.

'O, dit is Douwe, mijn kameraad uit Holland. Je weet wel, met hem ben ik hiernaartoe gekomen.'

'Als het maar geen verraaier is.'

'Dan liet ik hem niet binnen. Blij dat ik je zie, Larry, ik was bang dat ze je gepakt hadden.'

'Mij pakken? Dan moeten ze vroeger opstaan.'

'Benieuwd of James nog komt,' bromt Tijs. 'Die mogen ze van mij pakken. Door zijn kwaaie dronk zijn wij de klos.'

Na Larry komen er nog meer kennissen van Tijs naar boven.

Allemaal ruige gasten, die Douwe met argwaan bekijken.

Algauw hangen er wolken tabaksrook in het zaaltje. Iemand ontkurkt een fles.

'Waar is mister Rubin?' vraagt Tijs.

'Die is kwaad weggelopen. Hij wil niet langer met ons mee. Verleden week die knokpartij en vanavond alweer ruzie en ook nog brand. Hij gaat terug naar de kust.'

'Waar is hij?'

'In de werkplaats van Eriksson waar hij altijd slaapt. Morgen vertrekt hij.'

'Wij kunnen hier beter ook maar wegwezen,' zegt Larry. 'De sher-riff zoekt naar de daders.'

'Weten ze dat het onze jongens waren die ruzie zochten in de herberg?' vraagt Tijs.

'Ja, we zijn herkend.' Larry geeft woedend een klap op het tafel-blad. 'Daarom verdwijnen we morgen voor het licht wordt.'

'Ik ga nog even naar mister Rubin,' zegt Tijs. 'Hij moet bij ons blij-ven. We kunnen hem niet missen bij de groep.'

'Laat toch gaan, dat stadsmannetje,' zegt Larry.

'Nee-nee, hij moet bij ons blijven,' houdt Tijs vol. 'Hij heeft ver-stand van wetten en koopcontracten. Als we een handelsonder-neming willen starten, kan hij ons raad geven.'

'Rubin is niet om te praten,' zegt een magere man met een cow-boyhoed.

'Ik probeer het toch. Ga je even mee, Douwe?'

'Doe ik.'

Douwe is blij als hij buiten loopt. Hij ademt de frisse lucht diep in.

'Ik heb geen zin met die lui mee te gaan. Samen met jou leek het me leuk, maar dit hoeft van mij niet.'

'Ik kan ze nu niet meer in de steek laten. Ze rekenen op me.'

'Jij? Je bent nog geen zeventien.'

'Ja, maar ik ben de slimste van het stel. Ik bepaal wat we doen.'

'Dat merkte ik al. Ben je hun leider?'

'Dat wil ik eigenlijk niet zijn, maar het komt er wel op neer.'

Tijs staat stil.

'Je kunt hier nog niet erg wennen, hè?' zegt hij.

'Als ik kon ging ik zo naar huis.'

'Wist ik wel. Jouw hart zit bij Antje en je moeder en je opa.'

Douwe zucht. 'Ik had beloofd altijd bij je te blijven, maar...'

'Ach man, dat hoef je niet zo letterlijk op te vatten. Ik was even kwaad omdat je niet mee wilde gaan naar het westen, maar ik snap het wel. Doe maar wat je wilt.'

Een poosje lopen de vrienden stil naast elkaar door de straten van Brookfield. Dan zegt Tijs: 'Eigenlijk moet ik je nog altijd wat zeggen, Douwe.'
Douwe kijkt verbaasd. Zo ernstig is Tijs anders nooit.

7. Nieuwe plannen

'Ik heb allang gemerkt dat je erg naar je familie verlangt,' zegt Tijs.

'Ja, maar wat moet ik doen? Zodra ze me op Texel terugzien gooien ze me in de bak.'

'Ga naar het kerkbestuur van De Waal en leg daar alles uit.'

'Denk je dat zij iets voor me kunnen doen?'

'Natuurlijk, ze kennen je toch?'

'En Antje dan?'

Tijs slaakt een diepe zucht. 'Douwe,' zegt hij met gebogen hoofd, 'ik heb je allang iets willen opbiechten. Ik heb het nooit willen zeggen, maar ik heb je op de avond van de brand voor niks bang gemaakt. Ik eh...'

'Voor niks? Wat bedoel je?'

'Tja, ik had het je meteen moeten zeggen, maar Antje kan die brand niet aangestoken hebben.'

'Wat zeg je nou? Waarom niet?'

'Omdat ik haar uit jullie huis zag komen toen de boet al in lichterlaaie stond.'

'En de tondel dan? Hoe kwam die bij de brand?'

'Dat moet jij uitzoeken als je op Texel terug bent.'

'Waarom heb je dat toen niet meteen gezegd?'

'Geen mens had me geloofd. Ze weten dat ik je vriend ben, ze liepen al met de tondel rond, en riepen jullie naam.'

Douwe is woedend. 'Hoe is het mogelijk! Al die moeite voor niks. Je had gewoon voor ons moeten getuigen.'

Tijs knikt. 'Ja, dat heb ik later ook beseft, maar alles ging zo vlug, en...'

'En het kwam jou wel goed uit, want jij wou graag dat ik met je meeging naar Amerika...'

Tijs kan een poosje niets zeggen. Hij weet dat Douwe gelijk heeft.

'En nu heb je mij niet meer nodig, dus kan ik wel verdwijnen,' sist Douwe.

'Nee, zo zit het echt niet Douwe.'

Er valt opnieuw een stilte.

'Hoe moet ik het ooit goedmaken? Wil je... wil je geld voor de overtocht hebben? Ik heb al aardig wat verdiend.'

'Hoeft niet. Ik kom evengoed wel thuis. Maar eh... ik voelde me ook niet zo lekker toen ik je in je eentje liet vertrekken. Dat zat mij ook steeds dwars. Laten we maar zeggen dat we nu quitte staan.'

'Meen je dat echt, Douwe?'

'Beslist. Ik wil dat we als vrienden uit elkaar gaan.'

Het verhaal van Tijs maakt alles anders.

Douwe moet het eerst nog wel verwerken. Eigenlijk zou hij het liefst meteen naar Texel teruggaan om de kwestie uit te zoeken. Natuurlijk staat nu al voor hem vast wie de daders dan wel geweest zijn, maar hij wil bewijzen verzamelen.

'Kijk,' zegt Tijs opeens. 'In die zijstraat is de werkplaats waar mister Rubin naartoe is gegaan. Daar slaapt hij meestal.'

'Wie is die mister Rubin eigenlijk?' vraagt Douwe.

'Geen idee.'

'Maar gaat hij toch steeds met jullie groep mee?'

'Ja, hij heeft zich een keer bij ons aangesloten en daarna is hij steeds gebleven. 't Is een nogal deftig iemand.'

'Waarom zwerft hij rond? Heeft hij geen huis?'

'Dat weten we allemaal niet en we vragen er ook niet naar. Mis-

schien is er iets gebeurd waardoor hij vluchten moest...'
'En wil hij nu niet langer bij jullie blijven?'
'Nee, hij heeft er genoeg van.'
'En waar wil hij dan naartoe?'
'Hij schijnt afkomstig te zijn uit Boston. Misschien wil hij naar zijn
stad terug. Maar ik hoop dat ik hem kan ompraten.'

Wat Tijs hoopte, lukt hem niet. Mr. Rubin laat zich niet ompraten.
Douwe kijkt stil naar de man. Hij is niet zo jong meer, misschien
al boven de vijftig. Hij draagt versleten kleren, maar je kunt nog
steeds zien dat ze duur geweest zijn. Mr. Rubin praat rustig en
beschaafd.
'Nee, Tijs, ik ga niet langer met jullie mee,' zegt hij beslist.
'Maar als we nu beloven...'
'Dat hebben jullie al zo vaak gedaan.'
'Jammer, u bracht nog een beetje rust in de groep.'
'Daar heb ik niet veel van gemerkt.'
Bij de deur klinken stemmen.
Iemand roept: 'Tijs, kom mee. Ze zitten ons op de hielen.'
Tijs maakt een driftig gebaar: 'Zie je wel, dit moest fout gaan '
Hij groet mr. Rubin haastig en slaat zijn armen om Douwe heen.
'Doe je mijn ouders de groeten?'
'Zal ik niet vergeten!'
Even later is Tijs met zijn groep verdwenen.
Verbouwereerd blijven Douwe en mr. Rubin achter.
'Ze zullen vlug moeten zijn,' zegt Douwe. En dan direct erachter-
aan: 'Ik begrijp Tijs niet meer. Met zulke "vrienden" moet het wel
een keer fout gaan.'
'Dat is al gebeurd. De laatste tijd zijn er steeds problemen, daar-
om ga ik niet langer mee.'
Douwe kijkt om zich heen. 'Kan ik hier vannacht ook blijven?'
'Dat kun je doen. Er is slaapplaats genoeg in deze ruimte.'
'En het is hier gelukkig niet zo koud.'
'Waar kom je toch vandaan?' vraagt mr. Rubin.

'Uit Holland, net als Tijs. We zijn hier samen gekomen.'

'Waren jullie elkaar kwijtgeraakt?'

Douwe knikt. 'We hebben elkaar een jaar niet meer gezien. Ik had samen met hem verder willen reizen, maar niet met die avonturiers erbij.'

'Wil je terug naar je land?'

'Liefst zo gauw mogelijk. In Boston zoek ik een schip.'

'Ga je naar Boston?' vraagt mr. Rubin verrast.

'Ja, daar zijn we ook met ons schip aangekomen. Was u ook van plan naar Boston te gaan?'

'Och, ik wil gewoon naar de kust. Misschien ga ik wel naar een andere plaats. Maar als jij naar het oosten gaat, zouden we samen kunnen reizen.'

'Dat is misschien een goed idee, want het is nog een heel eind.'

8. De opdracht

De volgende morgen beginnen Douwe en mr. Rubin aan hun tocht in de richting van Boston. Onderweg vertelt Douwe veel over wat hij meegemaakt heeft.

'Jij hebt een moeilijke tijd achter de rug,' zegt mr. Rubin als ze op een avond uitrusten in een dorpsherberg. Douwe knikt. 'Ik hoop dat er nu eens een andere tijd komt.'

Mr. Rubin zucht. 'Dat hoop ik ook voor mij.'

'Waarom gaat u dan niet gewoon naar huis?'

Mr. Rubin zucht nog eens. Het is even stil, dan vervolgt hij: 'Kón ik maar gewoon naar huis. Mijn vrouw is overleden, maar ik heb nog wel kinderen.'

'Hoeveel kinderen heeft u?'

'Twee: Laurie, een dochter van twaalf en Cecil, een jongen van vijf.'

'Kunt u dan niet naar ze toe?'

'Het is allemaal mijn eigen schuld. Nu ik naar Boston terugga, kan iedere sheriff me oppakken, en als dat gebeurt kan ik niets meer voor mijn kinderen doen.'

'Denkt u dat het goed met ze gaat?'

'Was dat maar waar. Ze staan onder het voogdijschap van mijn broer en dat is een vreselijke man. Hij heeft een herberg aan een drukke weg. Ik weet wel zeker dat hij ze als slaven behandelt.'

'Laat hij ze dan zo hard werken?'

'Tot ze erbij neervallen.'

'Kon u niets voor ze regelen toen u vertrok?'

'Als je na een misdaad vlucht is er niet veel meer te regelen.'

Douwe schrikt. Er is vast iets vreselijks gebeurd. Je verdwijnt niet zomaar naar de eenzame binnenlanden.

'Ja, kijk maar eens goed naar me,' klinkt het droevig. 'Vreselijk als mensen iemand zo ver kunnen brengen dat hij… Ik had vroeger nooit kunnen denken dat ik tot zoiets in staat was. Maar ik wil er nu niet over praten.'

De vraag of mr. Rubin iemand zou hebben gedood, schiet Douwe door het hoofd, maar hij durft het niet uit te spreken.

'Uw verhaal lijkt veel op het mijne,' zegt hij. 'Ik moest ook vluchten. Niet omdat ik iets verkeerds gedaan had. Ik was onschuldig, maar de schout zocht me en daarom ben ik met Tijs hier naartoe gevlucht.'

'En wil je nu evengoed naar je land teruggaan?'

'Ja, ik wil en moet mijn onschuld bewijzen!'

'Douwe…' Mr. Rubin aarzelt even. 'Was het met mij ook maar zo. Ik doodde echt iemand. Het was om mijzelf te verdedigen, maar een moord blijft een moord…'

'Dus daarom vluchtte u…'

'Ik kon niet anders, maar de laatste tijd verlang ik zo naar mijn kinderen, dat ik alles wil doen om ze te zien.'

'Wat bent u dan van plan?'

'Ik wil vermomd de stad weer ingaan en zo mijn kinderen opzoeken.'

'En als u gepakt wordt?'

'Dan heb ik ze toch weer een keer gezien, en dan weet ik hoe het met ze gaat.'

Douwe heeft medelijden met mr. Rubin. Zijn plan is gevaarlijk.

Dag aan dag reizen Douwe en mr. Rubin verder. Ze hebben vaak lange gesprekken. Douwe komt steeds meer over mr. Rubin te weten. Met zijn vrouw en kinderen woonde hij in een prachtig huis met een grote tuin. Ze waren gelukkig, totdat zijn vrouw ernstig ziek werd en stierf. In die droevige tijd deed hij alles om zijn kinderen te troosten en een fijn leven te geven. Maar toen gebeurde dat vreselijke waardoor hij moest vluchten. Mr. Rubin valt telkens stil als hij daarover praat.

Als ze op een morgen in de verte Boston zien liggen, zegt hij: 'Nu wordt het spannend, Douwe.'

Zwijgend lopen ze verder.

Na een poosje maakt Douwe een eind aan de stilte: 'U zei dat uw kinderen misschien in de herberg van uw broer moeten werken. Is dat hier dichtbij?'

'Nee, die ligt helemaal aan de andere kant van de stad, bij de havens. Zelf durf ik mij daar niet te laten zien, maar... maar zou jij aan de kinderen een boodschap willen overbrengen?'

Douwe onderbreekt hem. 'Kunt u niet met uw kinderen aan boord van een schip wegvluchten?'

Mr. Rubin knikt: 'Precies waar ik de laatste tijd steeds aan gedacht heb. Maar ik zit met een moeilijke kwestie, Douwe.'

Als Douwe hem vragend aankijkt, zegt hij: 'Overal waar ik kom zal ik me een moordenaar voelen en dat ben ik ook. De laatste tijd moet ik daar steeds aan denken. Wij mensen kunnen de politie en de rechters zien te ontlopen, maar op een dag moeten we voor God verschijnen en wat zal Hij dan zeggen?'

'Wat bent u van plan...?'

'Als ik mijn kinderen gezien heb, ga ik mijzelf aangeven om mijn straf uit te zitten.'

'U... u kunt wel de doodstraf krijgen...'

'Nee, dat is onmogelijk. Ik heb getuigen dat ik werd aangevallen, maar ik kom natuurlijk wel in de gevangenis.'

'Wat erg voor uw kinderen.'

'Mijn kinderen moeten hier weg. Iemand moet ze meenemen naar een ander land. Zolang ze hier zijn, zal mijn broer ze het leven zuur maken. Ik wil niet dat ze hun hele leven als slaven behandeld worden.'

'Wie moet ze dan meenemen naar een ander land? Daar vindt u toch niemand voor?'

'Daar heb ik lang over nagedacht, en misschien weet ik het nu.'

'Ik ben benieuwd...'

Mr. Rubin kijkt Douwe ernstig aan.

'Jij zou dat kunnen doen, Douwe, jij...'

'Ik?'

'Ja. Ik vertrouw je. Ik weet in welk goed land jij woont. Daar zijn ze veilig. Ze kunnen er een nieuw leven beginnen.'

'Maar ik ben zo jong. Hoe kan ik nou voor ze zorgen?'

'Je bent jong, maar eigenlijk al volwassen. Ik heb je op onze reis goed leren kennen. Aan jou zou ik ze durven toevertrouwen.'

Douwe voelt zich onzeker en verlegen. Zorgen voor twee kinderen? Hij is maar een paar jaar ouder dan dat meisje...

'Daar moet ik echt over nadenken, hoor,' mompelt hij.

'Je zult er geen spijt van krijgen, Douwe. De kinderen hebben recht op de erfenis van hun moeder, maar daar zijn ze nu te jong voor. Gelukkig heb ik zelf ook nog geld op een bank staan. Ik zal zorgen dat jij dat onder je hoede krijgt, en jij kunt er mee doen wat je wilt. Ik weet dat jij het goed voor hen en voor jezelf zult besteden.'

'Toch niet voor mezelf?'

'Ja, ook voor jezelf. Het bedrag is zo groot, dat er een flink deel voor jou overblijft. Ik regel het allemaal bij een goede vriend. Die is notaris.'

'Maar wat zou ik voor mezelf nodig hebben? Ik kan toch werken?'

'Je moet misschien kosten maken voor mijn kinderen. Vergeet niet dat je hun verzorger bent, en dan moet je toch iets achter de hand hebben.'

'Is alles bij elkaar genoeg voor de reis?'

'Meer dan genoeg, je zult zelfs nog overhouden. Ik heb pas rust als mijn kinderen veilig zijn.'

'Waar ik woon staan veel boerderijen. Ik zou een boerderij kunnen kopen of huren.'

'Een boerderij? Hoe kom je erop!'

'Lijkt u dat een goed idee?'

'Buitengewoon goed. Vroeger logeerden we vaak op de boerderij van een vriend. Onze kinderen genoten daar.'

Douwe steekt zijn hand uit. 'Goed, ik zal mijn best doen uw kinderen naar Holland te brengen!'

'Als jij voor ze wilt zorgen kan ik zelfs met een gerust hart de gevangenis in...'

'Ik wil proberen ze een heel gelukkig leven te geven.'

'Zie je wel, jij denkt meteen aan hun toekomst.'

'Zult u lang in de gevangenis moeten blijven?'

'Dat zal wel een kwestie van jaren zijn. Maar daarna hoop ik de oceaan over te steken en jullie te bezoeken. Ik vind je wel op dat Texel van je. Je zei toch dat iedereen daar elkaar kent? Nou dan.'

Douwe puft. 'Ik moet nog wel over alles nadenken. Het gaat allemaal zo snel.'

'Douwe, als je het doet maak je me heel gelukkig.'

9. In 'Het Oude Baken'

Douwe denkt nog uren na over mr. Rubins woorden. Geweldig, deze nieuwe mogelijkheid. Hij kan zich geen vluggere manier bedenken om naar Texel terug te keren, want zijn overtocht wordt ook betaald.

Het is bovendien fijn om de kinderen een nieuwe toekomst te geven. Ja, hij moet op het voorstel ingaan. 't Is een kans die hij nooit meer krijgt.

Maar het is nog afwachten of de kinderen te vinden zijn.

Vroeg in de middag brengt mr. Rubin Douwe met een rijtuig tot vlak bij de herberg van zijn broer. Douwe heeft beloofd polshoogte te nemen door zelf bij Het Oude Baken naar binnen te gaan. Hij weet dan vlug genoeg of er een meisje en een jongen in dienst zijn of niet.

Vooraf laat mr. Rubin hem nieuwe kleren aanmeten in een dure zaak. Douwe staat als een paspop in het atelier terwijl een kleermaker om hem heen dribbelt, de maat neemt en met krijt strepen trekt over de stof. Hij is blij als hij de meetlinten niet meer langs zich voelt fladderen en kan gaan zitten tot het kostuum klaar is.

Uitgedost als een zoon van rijke ouders stapt Douwe Het Oude Baken binnen. Hij kiest een tafeltje en laat zich hete thee met gemberpannenkoeken brengen. Zijn mooie grijze hoed legt hij voorzichtig opzij.

In de schemerige gelagkamer zitten veel mensen. Er wordt druk gepraat en gelachen. Bedienden lopen af en aan met volle dienbladen.

Douwe verbaast zich. Het zijn alleen oudere personen die de bestellingen rondbrengen. Na een halfuur heeft hij nog geen jongen en geen meisje gezien.

Heeft mr. Rubin zich dan toch vergist? Zijn de kinderen bij een ander? Douwe heeft intussen wel begrepen wie de eigenaar is. De waard lijkt sprekend op mr. Rubin. Beslist een slimme man. Niet iemand die je voor de gek kunt houden... Zijn vrouw ziet er even oplettend uit.

'Ik zag geen kinderen in Het Oude Baken,' vertelt Douwe een uur later aan mr. Rubin. Die heeft al die tijd kleumend achter een loods bij de haven gezeten.

'Het kan twee dingen betekenen,' zegt hij somber: 'Óf ze zijn weggelopen, óf ze moeten in de kelder werken. Onder de gelagkamer ligt een reusachtig grote kelder. Eigenlijk is het een grot. Daar zijn de keukens en er liggen veel spullen opgeslagen.'

'Het is zeker moeilijk om daar te komen?'

'Zeer moeilijk, want mijn broer en schoonzus hebben haviksogen. Niets ontgaat ze.'

'Dat merkte ik al.'

'Maar toch moeten we het weten. Ga nog eens naar binnen, Douwe, en zie of je niet even in de kelder rond kunt kijken. Wacht net zolang tot de waard en zijn vrouw afgeleid zijn.'

'Ik zal het proberen, maar of het lukt...'

'Ben je er alweer?' vraagt de oude bediende Hunter, als Douwe naar zijn tafeltje terugloopt en een maaltijd bestelt.

'Jammer genoeg wel. Veel te koud om buiten te wachten. Hoe laat komt de de postkoets eigenlijk?'

'O, die komt pas bij zessen. Je kunt rustig je boutje afkluiven.'

'Fijn! U hebt een prima keuken.'

Douwe snapt zelf niet hoe hij zo rustig kan blijven.

'Een tevreden klant is een goede klant,' zegt de grijze man met een buiginkje.

'Tevreden ben ik zeker.'

'Je bent jong, maar je hebt schat ik, zeker al veel van de wereld gezien?'

'Wat denkt u? Ik kom helemaal uit Europa.'

'Zo, da's niet naast de deur. Uit welk land kom je eigenlijk?'

'Uit Holland.'

'O, dat platte land. Daar kwam mijn oma ook vandaan. Als de dijken doorbreken staat alles er onder water.'

'Zegt u dat wel. Ik vind het hier veel mooier met al die bergen en dalen. Ze zeggen dat er in die bergen ook diepe grotten zijn. Jammer dat ik er nog nooit een gezien heb.'

'Nou, dan hoef je niet eens ver te gaan. Hier onder de herberg ligt ook een oude grot.'

'Hieronder? Bestaat niet!'

'Het is echt waar. Het Oude Baken is gebouwd op de plek waar vroeger een fort lag en onder dat fort werden mensen gevangen gehouden, in die grot.'

'Een gevangenis in een grot? Wat zou ik daar graag 'es willen kijken.'

'Ja, maar 't is nu gewoon een opslagplaats en we koken er. Misschien kun je er straks even kijken. Over een kwartier neemt de baas de dagrekeningen door met zijn vrouw en dan zijn ze even afgeleid.'

'Bedoelt u dat ik dan even naar beneden mag?'

'Als je heel vlug bent, neem ik je mee. Ik geef wel een wenk.'

'Wat aardig van u!'

Douwe betrapt zich erop dat hij nu net zo praat als Tijs. Die heeft ook altijd van die slimme maniertjes om iets aan de weet te komen.

Intussen tuurt hij uit zijn ooghoeken naar de waard en diens vrouw. Tegelijk denkt hij aan mr. Rubin, die buiten zit te wachten.

Raar eigenlijk, hij, een zwerver, lekker aan het eten, en de rijke man buiten in de kou...

Gelukkig, de waard en zijn vrouw buigen zich over een stapeltje rekeningen. Er lijkt iets niet te kloppen, want ze maken fluisterend ruzie en roepen er twee bedienden bij.

Op dat moment geeft de oude Hunter Douwe een teken.

Douwe volgt de man geruisloos langs de stenen trappen. De treden zijn in het midden uitgesleten door de vele voeten die erover zijn gegaan.

Hunter vindt het leuk dat de jongen zo veel belangstelling toont. Hij brengt hem van kelder naar kelder. Douwe is verbaasd over wat hij ziet. Er lopen overal gangen die grote ruimten met elkaar verbinden. Dicht bij de trap zijn keukens en een bakkerij. Op stellingen liggen balen meel, en er staan tientallen potten met honing en olie. Opzij daarvan ziet hij rekken met reusachtige wijnvaten.

Dit had Douwe niet kunnen denken toen hij boven in de gelagkamer zat.

Tot zijn verbazing zijn er ook lege ruimten. Op de wanden zijn vreemde namen geschreven en er zijn spotprenten in het steen gekrast.

'Dit was die gevangenis,' vertelt meneer Hunter. 'Onder het fort werden dieven en smokkelaars vastgezet. Hier kom je niet gemakkelijk weg, dat zie je zeker wel.'

'Verleden tijd,' zegt Douwe. 'Nu is het gelukkig alleen maar een opslagplaats.'

'Nou, soms zitten er nog weleens foute figuren achter de tralies,' grijnst de oude man. 'Ondeugende kinderen bijvoorbeeld.'

'Dat meent u niet!'

'En of ik het meen! Soms is het nodig om jongeren een lesje te leren. Kijk, daar, die kant op, zitten een neefje en een nichtje van de baas opgesloten. Die kinderen zijn steeds zo dwars, dat ze nu maar eens een tijdje beneden moeten blijven.'

'Wat hebben ze dan uitgehaald?'

'Ze zijn al verschillende keren weggelopen. De domkoppen vinden dat ze te hard moeten werken, maar ze vergeten dat ze hier eten en drinken hebben, en ook nog eens een dak boven hun hoofd.'

'Waar zijn hun ouders?'

'Hun moeder leeft niet meer. Ze was de dochter van een steenrijke reder in New York.'

'En hun vader?'

'Die is voortvluchtig. Een moordenaar.' En na een pauze: 'Nee, laat dat kleine gespuis maar eens leren wat dankbaarheid is.'

'Het is hier beneden anders niet erg gezellig...' zegt Douwe, terwijl hij in de klamme ruimte rondkijkt, 'maar gigantisch is het wel.'

'Heb ik iets te veel gezegd?'

'Nee, ik weet gewoon niet wat ik zie.'

'Nu, dan maar weer vlug naar boven. Ik kijk wel even of de kust veilig is.'

Oude Hunter steekt zijn hoofd boven het trapgat uit en loert rond. Gelukkig, alles is in orde. Hij geeft een snelle wenk, waarna Douwe zo onopvalend mogelijk naar zijn tafeltje terugloopt. Daar kluift hij aan zijn schapenbout en laat intussen zijn gedachten gaan.

Ongeveer een halfuur later klinkt buiten de hoorn van de postkoets. Verschillende gasten staan op en lopen naar buiten. Dit is ook voor Douwe het moment om de aftocht te blazen. Tussen de gaande en komende mensen kan hij ongemerkt verdwijnen.

10. Spanning in de grot

Nu mr. Rubin weet dat zijn kinderen onder Het Oude Baken worden vastgehouden, kan hij eindelijk een vluchtplan bedenken.

Terwijl ze de volgende morgen langs het water lopen, vertelt hij wat hij wil gaan doen. Eerst wil hij uitzoeken hoe Cecil en Laurie het land uitgesmokkeld kunnen worden. Daarna moeten ze zo gauw mogelijk bevrijd worden uit dat akelige hol. Maar daar begint het probleem. In de herberg lopen altijd wel mensen rond. Hoe kunnen ze de kinderen ongezien naar buiten krijgen?

Opeens krijgt hij een idee. Als jongen woonde hij met zijn ouders in Het Oude Baken. Er liep toen een ondergrondse gang van de zeekant naar de kelder. Hij kroop er vaak doorheen. Dat is lang geleden, maar misschien is die gang nog intact.

Voordat ze dat verder gaan uitzoeken bezoekt mr. Rubin eerst nog een vriend, notaris De With. Deze man beheert zijn zaken en kan zorgen dat Douwe het nodige geld meekrijgt. Daarna speurt mr. Rubin langs de kaden naar een schip dat op Holland vaart. 't Komt goed uit dat het guur weer is. Veel bekenden zal hij nu niet tegenkomen. Toch zet hij voor alle zekerheid de kraag van zijn jas hoog op, en zijn hoed houdt hij bij de rand vast, zodat alleen zijn ogen te zien zijn.

Na lang zoeken vindt hij een geschikte boot voor de overtocht:

het *fregat* de 'Maria-Anna.' Binnen enkele dagen vertrekt het naar Amsterdam.

Mr. Rubin praat openhartig met de kapitein. Hij vertelt wat er aan de hand is en dat zijn kinderen in gevaar zijn. Ook laat hij een ondertekende brief van de notaris zien. Hij moet tenslotte bewijzen dat zijn verhaal op waarheid berust.

Het blijft een waagstuk, want de kapitein zou het plan kunnen verraden. Maar gelukkig wil de man graag helpen om Cecil, Laurie en Douwe naar Holland te brengen.

'Nu komt het moeilijkste,' zegt mr. Rubin. 'Ik ben benieuwd of die ondergrondse gang nog open is. Gelukkig weet ik nog precies de plek waar hij begon.'

Hij laat Douwe een smal pad zien, dat langs de rotswand naar beneden loopt.

'Volg me maar.'

In het halfdonker lopen ze tussen hoge struiken en rotsblokken door. Na een poosje staat mr. Rubin stil bij een zijpad, dat haast onzichtbaar is door een wirwar van dode planten. Hier is vast allang geen mens meer geweest. Douwe kijkt angstig naar de golven, die in de diepte tegen de rotsen beuken. Als hij nu zijn evenwicht verliest is het met hem gedaan.

'Kijk, hier is het,' wijst mr. Rubin.

Douwe ziet in het flauwe avondlicht de ingang van de tunnel. Die is afgesloten met een groot luik waar stenen tegen opgestapeld zijn.

Als ze de hindernis weggehaald hebben, steekt mr. Rubin een lantaarn aan en gaat naar binnen. Douwe volgt hem.

'Zijn hier vroeger gevangenen door ontsnapt?' vraagt Douwe.

'Nee, ik heb een heel ander verhaal gehoord. Het was een vluchtgang. Bij een belegering konden de soldaten erdoor verdwijnen. Zulke vluchtgangen had je vaak bij forten en kastelen.'

Ze strompelen verder door de vochtige gang, die bezaaid is met losgeraakte stenen. Het licht van de lantaarn flakkert onrustig, hun schaduwen glijden spookachtig langs de klamme wanden.

'O, we zijn er bijna,' wijst Douwe opeens. Recht vooruit ziet hij een deur met ijzeren tralies.

'Dat is een tegenvaller,' zegt mr. Rubin. 'Die slimme broer van me heeft de gang vakkundig afgesloten.'

'Er zit geen beweging in,' bevestigt Douwe.

'Misschien is er een andere mogelijkheid,' zegt mr. Rubin. 'Als ik het goed zie, zit er een handvat aan de binnenkant van de deur. Vanuit de kelder kan hij dus wel open.'

'Maar moet ik dan nog een keer naar binnen?'

'Zou je durven?'

'Ik kan het proberen.'

'Neem dit breekijzer mee, misschien heb je het nodig.'

Mr. Rubin zet zijn tas geopend op de grond. Douwe zoekt nog enkele nuttige voorwerpen uit en zorgt ook voor een tondel en kaarsen. Dat gaat allemaal in zijn eigen tas. Daarna kruipen ze door de vluchtgang terug.

Douwe gaat weer naar de gelagkamer van Het Oude Baken. Hij zit in de rats of Hunter er ook zal zijn, de grijze bediende. Die herkent hem natuurlijk meteen! Dan zal hij met een goed verhaal moeten komen.

Direct bij binnenkomst ziet Douwe inderdaad Hunter bedrijvig rondlopen. Hunter ziet hem ook. 'Ik begrijp dat de maaltijd je gisteren goed smaakte,' zegt hij opgewekt.

'Prima!' knikt Douwe, en hij overdrijft niet, want het eten was heerlijk.

'Nog maar eens zo'n lekker boutje dan? En weer van die moes erbij, of liever wat vruchten?'

'Kan het nog wel voordat de postkoets er is?'

'Geen probleem. De volgende komt pas om acht uur, en vaak nog later.'

'Nou, dan graag dat van gisteren met vruchten.'

De grijze man haast zich naar de keuken.

Een poosje later staat er weer een lekkere maaltijd voor Douwe op tafel. Maar het eten smaakt hem deze dag niet erg. Vol zorg loert hij steeds naar het trapgat. Hoe moet hij onopgemerkt naar beneden zien te komen?

Dan krijgt hij een idee. Ja, dat zal hij doen!

Zodra de hoorn van de postkoets langs de huizen schalt, rekent hij af en vraagt Hunter of hij de vorige dag misschien een wandelstok heeft gevonden. Een mooie, met een zilveren knop.

'Ik niet, maar misschien heeft een van mijn mijn collega's hem ergens gezien. Even vragen.'

De koets arriveert en een ogenblik later lopen meerdere reizigers met tassen en koffers naar de deur, terwijl anderen proberen binnen te komen. Op dat moment glipt Douwe weg naar de keldertrap. Langs de uitgesleten treden flitst hij naar beneden. Als hij links de vuren van de bakkerij ziet, stuift hij de andere kant op. In een zijvertrek duikt hij weg achter een rij lege kisten. Het is hier steenkoud, maar er liggen stapels lege zakken langs de kant. Door zich daar goed in te rollen, zal hij het de eerste uren wel uithouden.

Als Douwe wakker wordt, is het stikdonker om hem heen. Geschrokken gaat hij zitten. Waar is hij beland? Hij ziet geen hand voor ogen. Dan komen de herinneringen terug. O, wat heeft hij diep geslapen! Zeker omdat hij de laatste tijd zo weinig nachtrust heeft gehad. Nu moet hij vlug zijn. 't Is vast al midden in de nacht. Met ingehouden adem zoekt hij de tondel. 't Is een lastig werkje om vuur te maken, maar dat hij heeft wel vaker in donker moeten doen. Fel ketst het metaal tegen de vuursteen: 'tik-tik!' Hij stopt geschrokken. Dat geluid kan hem verraden. Hoort hij geen voetstappen? Even blijft hij luisteren. Nee, het blijft stil. Nog maar eens proberen. 'Tik-tik-tik.' Ah, daar valt een vonk op een droog stukje doek. Het vat vlam en blijft even smeulen. Nu vlug de pit van een kaars erbij. Goed zo, die brandt.

Op zijn tenen begint Douwe aan zijn zoektocht. Hij verbaast zich over de afstanden. Soms lijkt hij rondjes te lopen en op plekken terug te komen waar hij al eerder was. Wat een doolhof! En dan te bedenken dat er onder deze grot nog een andere moet liggen. Dat vertelde Hunter tenminste.

Als hij aan het eind van een lange, smalle gang de hoek omgaat, begint het vlammetje van zijn kaars te flakkeren. Langs de muren strijkt een koude luchtstroom. Hij moet vlak bij de deur van de vluchtgang zijn! Haastig loopt hij verder en even later bereikt hij inderdaad de traliedeur. Douwe fluit het signaaltje dat mr. Rubin en hij hadden afgesproken, maar er komt geen antwoord. Nog maar een keer...

Stilte...

Trillend schuift Douwe de grendels weg en opent moeizaam de deur. Hij tuurt de pikdonkere gang in. Niemand te zien. Douwe bekruipt een angstig gevoel. Waar is mr. Rubin? Z'n hart klopt in zijn keel.

Even blijft Douwe besluiteloos staan, maar veel tijd is er niet. Hij moet de kinderen zien te vinden.

11. Het huis met de honden

Geruisloos zoekt Douwe verder. Wist hij maar aan welke kant hij ze moet zoeken. Nog eens speurt hij bij het licht van zijn kaars door de donkere ruimten. De stilte benauwt hem. Gaven die twee maar wat geluid.

Opeens krijgt hij een idee. Hij herinnert zich hun namen. Met zachte stem roept hij: 'Cecil! Laurie! Cecil! Laurie!'

Maar hoe vaak hij ook roept, er komt geen antwoord. Ten slotte vindt hij de trap die afdaalt naar de diepere grot. 't Is daar beneden nog kouder en vochtiger. Op sommige plekken staat water waar hij door moet waden.

Douwe roept nog eens de namen van de kinderen. Maar als hij ook nu niets hoort, besluit hij met zoeken te stoppen. Misschien heeft de oude Hunter maar wat gezegd en zijn de kinderen hier allang weg.

Maar net als hij naar de trap terug wil lopen, hoort hij iemand huilen.

'Cecil! Laurie!' roept hij nog een keer.

Kijk, daar links is een deur met houten spijlen. In het licht van de kaarsvlam ziet Douwe de ogen van het jongetje. Ze staan vol tranen. Daarnaast is het bleke gezicht van een meisje te zien. Een meisje dat met grote, bange ogen naar hem staart.

'Laurie,' fluistert Douwe, 'jij bent Laurie, hè?'

Ze zegt niets.

'Ik ben door jullie vader gestuurd,' fluistert Douwe. 'Ik kom jullie halen.'

Pas nu durft het meisje zich te verroeren.

'Hoe weet ik dat het waar is?'

'Je vader wacht buiten. Komen jullie vlug mee, dan zien jullie hem zelf.'

Nu staan de kinderen haastig op. Ze kunnen gewoon niet wachten tot de deur open is gemaakt.

'Deze kant op,' wenkt Douwe, 'maar kijk eerst of jullie niets vergeten hebben.'

Laurie gaat terug en tast rond. Ze slaat een stola om en neemt een deken mee. Daarna loopt ze achter Douwe en haar broertje aan.

Ze bestijgen de trap naar de hoger gelegen grot en blijven daar even staan uitblazen. Als ze verdergaan, duurt het even voor Douwe de deur naar de vluchtgang teruggevonden heeft. Hij wenkt ze mee naar binnen.

In de gang waait de kaars uit, maar de kinderen kunnen niet wachten. Zelfs in het donker kruipen ze verder. Alles hebben ze ervoor over om uit dit akelige hol weg te komen.

'Wacht maar even,' zegt Douwe. 'Ik steek de kaars weer aan. Hier zal echt niemand jullie zoeken.'

Bij het licht van het onrustige vlammetje kruipen ze verder. Een poosje later bereiken ze de opening.

Als eerste gaat Douwe naar buiten. Hij kijkt even rond en trekt dan de kinderen aan hun handen overeind. Rillend staan ze bij elkaar in de ijzige nachtwind.

'Kom mee en blijf op dit paadje,' zegt Douwe. 'Kijk goed uit, want het is hier gevaarlijk steil.'

Hij is haast niet te verstaan door het gedreun van de golven.

Gespannen loopt hij met de kinderen tussen de struiken door tot ze eindelijk op de kade staan.

Vandaar is het niet ver meer naar de plek waar mr. Rubin altijd op hem wachtte: de portiek van een houten loods. Maar daar aangekomen, is er niemand.

'Wat raar,' mompelt hij. 'Jullie vader was niet bij de vluchtgang, en hier is hij ook niet.'

'Misschien heeft pap het erg koud gekregen,' zegt Cecil.

'Hij moest vast te lang wachten.' Laurie kijkt bedenkelijk.

'Dat had hij er wel voor over,' zegt Douwe. 'Ik ben bang dat hij weggevlucht is. Misschien zag hij iemand die hij niet vertrouwde...'

'Wij dachten dat hij in het binnenland zou blijven,' zegt Laurie.

'Daar was hij ook, maar hij verlangde zo naar jullie. Wist ik maar waar hij is. Morgen ga ik overal zoeken. Laten we nu vlug een schuilplaats zien te vinden. 't Is veel te koud om buiten te zijn. Hebben jullie hier geen andere familie?'

'Nee, alleen onze oom en tante in de herberg,' fluistert Laurie, 'maar daar ga ik nooit meer naar toe.'

'Gebeurt ook niet.'

Douwe en de kinderen zwerven rond door de lege straten van de grote havenstad. Er is haast niemand buiten.

'Waar moeten we nou naartoe?' vraagt Cecil klagend. 'Overal slapen de mensen.'

Opeens staat Laurie stil. 'We gaan naar tante Sida,' zegt ze.

'Tóch een tante?' vraagt Douwe.

'Geen echte tante. Hier in de buurt noemt iedereen haar "tante Sida". We mogen vannacht vast wel bij haar in huis slapen.'

'Maar hoe kennen jullie haar?'

'Als haar poezen jongen hadden mochten we altijd even komen kijken.'

'We woonden toen vlak bij haar,' vult Cecil aan.

'Nou ja, laten we het maar proberen,' zegt Douwe. Hij laat Laurie voorop lopen. Misschien hebben ze geluk en is die mevrouw nog wakker.

Laurie blijkt heel goed de weg te weten en een poosje later staan ze voor een oud huis, met scheve luiken.

'Hier woont ze,' wijst Cecil.

Als Laurie aanklopt, beginnen er binnen honden te blaffen. Aan het geluid is te horen dat het grote joekels zijn.

Douwe deinst geschrokken terug.

De deur wordt op een kier geopend en een stem vraagt: 'Wie is daar?'

'Wij, tante Sida, Cecil, Laurie en Douwe.'

'Wat komen jullie zo laat nog doen?'

'We zijn gevlucht. Onze oom en tante sloten ons steeds op. Nu heeft deze jongen ons bevrijd.'

'Waar zaten jullie dan?'

'In de kelder van Het Oude Baken. Die grot, weet u wel...'

'Wacht maar, even de honden naar een andere kamer brengen, ik ben zo terug.'

Gespannen wachten de drie tot ze weer voetstappen horen. Dan zwaait de deur wijd open: 'Vlug naar binnen! Bah, wat nemen jullie een kou mee.'

In de kamer krijgen de kinderen hete thee en broodpap. Ze komen helemaal bij. Voor alle drie had het niet veel langer moeten duren. Zeker niet nu er buiten ook nog eens een regenbui neerklettert.

12. Waar is mr. Rubin?

De volgende morgen loopt Douwe al vroeg buiten. Onopvallend slentert hij in de buurt van Het Oude Baken rond.
Zou mr. Rubin daar misschien nog naar hen zoeken?
Hoge golven slaan te pletter op de pierhoofden. Schepelingen tui-
gen een sierlijke *klipper* op, een paar meeuwen strijken met veel
gekrijs neer op de nok van een pakhuis...
Op andere dagen zou Douwe van dit alles genoten hebben, maar
nu loopt hij gespannen rond. Als hij mr. Rubin niet vindt, vallen
alle plannen in duigen. Hoe komt hij aan het geld voor de kinderen, hoe moet het met dat schip?
Douwe maakt zich grote zorgen en hij blijft zoeken. Maar als hij
na uren nog geen spoor van de man gevonden heeft, loopt hij de
binnenstad in. Hij zoekt naar het kantoor van notaris De With, bij
wie hij met mr. Rubin op bezoek is geweest. Maar hoe was de
weg erheen ook weer?
Pas na lang speuren vindt hij het grote huis terug. Het is te herkennen aan een schip dat op de gevel geschilderd is.
Douwe neemt zijn hoed af en gaat met kloppend hart naar binnen. Er is niemand te zien, dus wacht hij even.
Indrukwekkend, zo'n kantoor! Vol bewondering kijkt Douwe naar
de grote bureaus met de stapels mappen en dossiers. De zon
schittert in de kristallen inktpotten en blinkt in de koperen tabaks-
dozen.

Opeens gaat achter Douwe een deur open. Er stapt een deftige man binnen.

'Zo, jongeman, hoe ben jij hier binnengekomen?'

'De... de deur was open, meneer, en ik dacht...'

'Kan ik je helpen?'

'Ik ben hier gisteren geweest met mister Rubin. Er was hier een andere meneer, notaris De With. Zou ik hem misschien nog even kunnen spreken?'

De man neemt Douwe van onder zijn ruige wenkbrauwen scherp op en loopt dan door een zijdeur naar het kantoor van de notaris. Een ogenblik later verschijnt de heer De With zelf. Hij herkent Douwe meteen.

'Misschien kan ik raden waarom je gekomen bent,' klinkt het.

'Weet u wat er....'

Notaris De With laat Douwe niet uitpraten.

'Loop even mee,' zegt hij.

Hij trekt een dikke jas aan en gaat met Douwe naar buiten. Pas enkele straten verder begint de notaris te praten.

Hij zegt: 'Die andere man weet niets van deze kwestie. We kunnen alles dus beter maar hier in de open lucht bespreken.'

'Weet u dan wél iets?' vraagt Douwe gespannen.

'Wat ik weet zal je erg teleurstellen...'

'Is mister Rubin...'

'Mister Rubin is herkend toen hij gisteravond bij de haven liep. De sheriff heeft hem meegenomen.'

'O...' zucht Douwe, 'en ik had zijn kinderen nog wel zo beloofd dat ze hun vader zouden zien.'

'Dat is nu onmogelijk. Mister Rubin zit in de gevangenis en wordt zwaar bewaakt. Ik hoorde het van mijn neef. Die is zijn advocaat.'

'Zouden Cecil en Laurie hem niet even kunnen zien?'

'Onmogelijk. Het heeft allemaal te maken met die onbetrouwbare broer van hem. Zodra de kinderen zich ergens vertonen zal hij ze laten oppakken.'

'Kan dat dan zomaar?'

'Met machtige vrienden kun je hier veel...'

'Waarom behandelt hij Cecil en Laurie zo gemeen?'

'Het draait allemaal om de erfenis. De kinderen hebben later recht op een grote erfenis van hun moeder.'

'Hield die oom ze daarom gevangen in die kelder?'

'Daar ziet het wel naar uit. Hij is hun wettige *voogd*. Hij wil dat ze bij hem blijven tot ze meerderjarig zijn. Dan probeert hij ze de erfenis af te pakken.'

'Die oom is een slechte voogd. Kunt u niets tegen hem doen?'

'Dat hebben we geprobeerd, maar ik zei het al: de waard heeft machtige vrienden.'

Nu begrijpt Douwe dat Laurie en Cecil nooit meer naar Het Oude Anker terug kunnen gaan.

'Wat moeten we nu doen?' vraagt hij.

'Er zit maar één ding op. De kinderen moeten naar een ander land, waar ze veilig zijn. De erfenis blijft op hun naam staan en als ze oud genoeg zijn, kunnen ze terugkomen om hun bezit op te eisen.'

'We hadden al plannen gemaakt om ze mee te nemen naar Holland.'

'Ik weet ervan.'

'Maar ik zit nog wel ergens mee,' zegt Douwe. 'Mister Rubin zei dat hij de overtocht naar Amsterdam zou betalen en dat hij geld zou meegeven. Maar nu hebben we niets.'

'Dat is al in orde. De kapitein van de Maria-Anna bewaart een kistje met inhoud voor jullie. Dat heb ik hem vanmorgen vroeg gebracht. Van dat geld kan alles betaald worden.'

Douwe kijkt hem verrast aan.

'Ja, we hebben overal aan gedacht. Jullie moeten maar zo vlug mogelijk aan boord zien te komen, want daar zijn jullie veilig.'

'Als we onderweg naar de boot maar niet gesnapt worden.'

'Dat is inderdaad een probleem. Jou kent niemand, maar Cecil en Laurie zijn vaak gezien in Het Oude Anker, want daar hielpen ze met bedienen.'

'Dan moeten we in het donker naar het schip gaan.'
'Denk ik ook. Weet je wat, we lopen samen even naar de Maria-Anna toe. Dan bespreken we alles nog eens met de kapitein.'

De kapitein blijkt aan boord te zijn. Samen met Douwe en de notaris neemt hij de plannen nog een keer door. De kinderen moeten na middernacht klaarstaan om naar de ligplaats van de Maria-Anna te gaan. Twee matrozen zullen hen van huis halen en ervoor zorgen dat ze niets overkomt. Aan boord moeten ze dan wel benedendeks blijven tot het schip op volle zee is.

13. Paniek in de nacht

Doodmoe komt Douwe bij het huis van tante Sida terug. Het is inmiddels avond. Zodra tante Sida hem ziet, verrast ze hem met een stuk rijsttaart met bessensap en daarna krijgt hij nog een heerlijke gebakken vis. Dat smáákt na al dat gezwalk door de stad.

Douwe heeft nu eindelijk de gelegenheid om wat beter naar Cecil en Laurie te kijken. In het schijnsel van het knapperende haardvuur ziet hij hoe bleek en verzwakt ze eruitzien. Maar net als hun vader hebben ze goede manieren en praten ze deftig. Gelukkig zijn ze intussen goed uitgerust en lekker doorgewarmd.

Tussen Cecil en Laurie liggen de twee reusachtige honden. In de kamer ziet Douwe ook andere dieren op de vreemdste plaatsen: katten, kraaien, een gewonde meeuw... De meeste vogels zitten boven op de kasten. 't Is allemaal vol, maar wel gezellig.

Douwe merkt dat de honden vriendelijke dieren zijn. Misschien zijn het van die blaffers die niet bijten. Hij gaat dicht bij de haard zitten. Lekker bij de hoog oplaaiende vlammen. Een lamp is in de kamer niet eens nodig; het vuur geeft licht genoeg.

Als hij opgewarmd is, vertelt Douwe met gedempte stem over de plannen die vanmiddag aan boord van de Maria-Anna gesmeed zijn. De komende nacht nog moeten ze aan boord zijn. Maar gelukkig hoeven ze niet alleen naar de kade te gaan. Ze worden begeleid door stevige matrozen.

Als ze horen dat hun vader gevangen is genomen, krimpen Cecil en Laurie ineen. Douwe kijkt stil naar ze. Hij begrijpt dat ze het moeilijk hebben, want zelf heeft hij ook geen leuke tijd achter de rug.

Laurie merkt dat Douwe droevig is en daarom vergeet ze even haar eigen verdriet.

'Douwe, vertel ons eens wat over jezelf. Waar kom je vandaan en wat doe je hier in Boston?'

'O,' zegt Douwe, 'laat maar zitten, dat is zo'n lang verhaal...'

Maar als tante Sida er ook op aandringt, vertelt hij aarzelend over zijn lange avontuur.

De anderen luisteren stil toe. Ze kijken met bewondering naar de dappere jongen die hen uit de grot redde. Tante Sida geeft hem een extra groot stuk boterkoek. Dat heeft hij wel verdiend.

De kinderen gaan die avond vroeg onder de wol. Ze moeten nog wat slapen voordat ze in het holst van de nacht naar de haven vertrekken. Douwe luistert bezorgd naar de aanwakkerende wind. Waren ze maar vast aan boord.

Als ze nog maar net slapen, wordt er luid op de deur gebonsd.

Buiten klinkt geschreeuw van stemmen: 'Maak open! Maak open!'

Tante Sida, die bij de haard zat te dutten, vliegt overeind en schudt de kinderen wakker.

'Gauw, aankleden!' fluistert ze. 'Ik hou ze wel aan de praat.'

'Zijn dit niet die matrozen?' vraagt Laurie.

'Nee-nee, jullie moeten weg. Nu meteen! Ga door de achterdeur en door de steegjes naar het park, daar vinden ze jullie niet.'

Terwijl de kinderen zich haastig aankleden en hun spullen bij elkaar zoeken, loopt tante Sida naar de deur. Ze maakt zich kwaad. Die kerels kunnen schreeuwen, maar zij kan het ook. En haar honden overstemmen alles nog met woedend geblaf.

'We moeten naar binnen!' roept iemand tussen het gebons door.

'Hou je gemak, man,' schettert tante Sida, 'ik wil hier geen dronkemansvolk. Ga naar je eigen huis.'

Een diepe stem bast: 'We zijn van de stadswacht! We hebben opdracht voor huiszoeking bij u.'

'En dan ben ik weer m'n arme centjes kwijt. Net als verleden jaar. Ik heb weken moeten bedelen om in leven te blijven.'

Intussen wordt het geschop tegen de deur steeds luider. Het hout begint te kraken. De honden huilen van woede.

'Wat moeten jullie nou?' roept tante Sida terwijl ze plotseling de deur opentrekt.

De mannen buitelen over elkaar naar binnen, maar zodra ze de honden zien, verstijven ze. Wat een monsters! Die beesten zijn zo groot als kalveren, maar kalveren hebben niet van die scherpe tanden en die kunnen ook niet zo dreigend grommen.

Tante Sida legt haar handen op de kop van de dieren en kijkt de mannen uitdagend aan:

'Nou, vertel eens op, wat komen jullie doen?'

'Waar zijn die kinderen?' brult de man die het groepje aanvoert.

'Hier zijn mijn kinderen,' wijst tante Sida; 'vijf katten, twee honden, drie kraaien, en....'

'Die zoeken we niet!'

'Och, man, je weet niet wat je mist, 't zijn zulke schatjes...'

'Je hebt hier ook nog andere "schatjes" in huis,' sist de leider. Hij begint zich fanatiek te krabben. 'Bah, vlooien!'

'Dit hele huis zit er vol mee,' schreeuwt een ander, 'ik mag straks niet eens thuiskomen.'

'Wegwezen!' roept de leider. 'We zitten er nu al onder!'

Nijdig verdwijnen de mannen naar buiten.

Uit de verte roept een van hen: 'We vinden die weglopertjes van Rubin wel!'

'Als ik het niet dacht,' mompelt tante Sida. 'Het was dus echt om de kinderen te doen.'

Intussen hollen Douwe, Laurie en Cecil door de steegjes in de richting van het park. Pas na een kwartier rusten ze uit op een bank. 't Was op het nippertje!

'Hoe wisten die mannen nou dat wij bij tante Sida in huis waren?' vraagt Laurie zich af. 'Ik snap er niets van.'

'Ik heb een idee hoe dat komt,' zegt Douwe. 'Toen ik vanmorgen bij notaris De With was, liep daar een man rond die ik niet kende. Misschien is die ons stiekem gevolgd.'

'Wat erg,' zegt Laurie.

'Zeker erg, want als dat zo is, heeft hij mij ook met de notaris aan boord van de Maria-Anna zien gaan en dan weet hij dus dat we met die boot willen vertrekken.'

'En dan wachten ze ons bij het schip op,' zucht Laurie.

'Best mogelijk. We moeten een goed plan bedenken, want die matrozen van de Maria-Anna komen nu voor niks bij tante Sida.'

14. Op het nippertje

K leumend zitten de kinderen bij elkaar in het park. Wat moeten ze doen? Op het schip zijn ze veilig, maar hoe komen ze aan boord?

Douwe voelt dat er iets niet klopt. Die man op het kantoor van De With is beslist een spion. De notaris was daar vast al bang voor. Daarom nam hij Douwe mee naar buiten. Ze moeten dus heel goed uitkijken bij de pier.

Laurie bibbert: 'Wat moeten we nu?'

'Laten we toch maar naar de haven gaan,' zegt Douwe.

'Ja, we kunnen hier niet blijven.'

'Ik heb het zo koud,' zegt Cecil.

'Kom maar dicht tegen me aan,' troost Laurie.

Ze slaat haar lange stola ook om haar broertje heen.

Een flink meisje, denkt Douwe. Hij bewondert haar.

Gespannen lopen ze naar de kade waar de Maria-Anna ligt aangemeerd. Het fregat heeft een witgeverfde romp. Als het maanlicht erop valt, steekt het duidelijk af tussen de andere schepen.

Bij het begin van de pier staan de kinderen stil. Huiverend turen ze langs de kade.

Laurie fluistert: 'Zullen we het er maar op wagen? Ze gaan met zulk koud weer toch niet op de loer liggen?'

'Ik heb een idee,' zegt Douwe. 'Als ik Cecil op mijn schouders neem en we die lange deken om hem en mij heenslaan, lijkt het net of er een volwassene aankomt. En jij loopt vlak naast me, Laurie, dan denken ze dat je mijn dochter bent.'

'Ja, maar als ze ons door hebben, worden we weer gepakt.'

'We moeten toch íets doen?'

'Ik wil naar het schip,' zegt Cecil met trillende stem.

'Kijk, er lopen mensen de pier op,' fluistert Laurie plotseling. 'Kom mee, dan lopen we achter ze aan.'

Snel voeren ze hun plan uit. Cecil gaat op Douwes schouders zitten en Laurie slaat de deken om hen heen. Daarna volgen ze de wandelaars zo onopvallend mogelijk.

Op de pier heeft de wind vrij spel. 't Kost Douwe veel moeite op de been te blijven. Gelukkig steunt Laurie hem zo goed ze kan. Cecil houdt zich ook flink. Hij klemt zijn lippen op elkaar. Als hij gaat huilen zijn ze verraden.

Plotseling een enorme schrik. Vanachter grote vaten springen enkele mannen tevoorschijn. Ze hollen naar de mensen die vooraan lopen en versperren hen de weg.

'Waar gaat dat heen?' vraagt een grote vent. Hij richt zijn geweer op een van de wandelaars.

'Loop naar de pomp!' antwoordt de man. 'We willen naar ons schip terug.'

'Ja,' lalt een ander, 'bederf ons plezier niet, malle *diender*.' Hij geeft de man een duw. Die geeft een duw terug. 'Loop jij maar door, zatlap!'

Bij het licht van een lantaarn zoekt 'de diender' verder.

'Hé, jij daar,' roept hij naar een dikke man die achter de anderen komt aansjokken, 'je loopt voorover, laat eens onder je jas kijken!'

'Ik heb niks bij me, kijk maar.' De man slaat zijn jas wijd open.

De wachter mompelt een verwensing. 'We zoeken kinderen,' zegt hij. 'Denken we eindelijk beet te hebben, is het weer mis.'

'Kinderen?' vraagt de dronken man met dubbele tong. 'Die liggen om deze tijd op bed-bed, man, of denk je dat zzze ergens een schip, een ssschip willen gaan kapen?'

'Die wij zoeken zijn tot alles in staat,' gromt de wachter.

Intussen schuiven Douwe en Laurie stilletjes achter de anderen langs. Geen mens heeft argwaan. Maar als ze gepasseerd zijn, gebeurt er iets vreselijks. Douwe struikelt en valt voorover, waardoor Cecil op de stenen belandt. Cecil geeft een kreet van pijn. Meteen zijn de wachters gealarmeerd.

'Kom hier!' gebiedt de leider. 'Hier! Nu en meteen!'

'Rennen!' roept Douwe, 'we zijn vlak bij het schip!'

Hij neemt Cecil bij de hand en holt de pier verder op. Laurie volgt hem als zijn schaduw.

'Staan of we schieten!' brult een hoge stem.

'Nee, niet schieten, niet schieten!' roept een ander. 'We moeten ze levend in handen zien te krijgen!'

De kinderen hollen verder. Af en toe zien ze de romp van de Maria-Anna weer in een glimp maanlicht. Nu heel dichtbij.

Opeens geeft Douwe een kreet en hij wijst: 'We kunnen niet aan boord gaan. Het schip ligt een heel stuk van de kant af.'

'O, wat nu?!' roept Laurie.

De drie zijn zo aangeslagen, dat hun knieën knikken. Achter hen klinken zware voetstappen die steeds dichterbij komen.

'Ik kan niet meer,' hijgt Laurie.

Vlak bij de ligplaats van het schip haalt een achtervolger haar in. Hij grijpt haar beet en wil haar meesleuren. Maar op dat moment springt er een grote zeeman aan wal die de achtervolger een flinke dreun verkoopt en Laurie in zijn armen neemt. Een ander, die hem volgt, duwt haastig Douwe en Cecil naar de waterkant.

'Vlug-vlug, die kant op.'

Voor de kinderen het weten, zitten ze in een bootje dat naar de Maria-Anna wordt geroeid.

De mannen op de kade zijn door het dolle heen. Ze schelden en schreeuwen. Een van hen lost een schot op de roeiboot. Een kogel scheert rakelings langs hen heen.

Maar op dat moment klinkt aan de zijkant van het schip een krakend geluid.

Er gaat een luik open en er wordt een kanonsloop zichtbaar. Even later klinkt er een donderende knal.

De 'diender' geeft een schreeuw en kiest het hazenpad. Ook de anderen weten niet hoe gauw ze weg moeten komen.

'Die zijn lekker geschrokken,' zegt een van de matrozen in het bootje.

Douwe puft: 'Wat een geluk! Nu pakken ze ons niet meer.'

'We waren hier op voorbereid,' grinnikt de matroos.

Zodra ze aan boord zijn, worden de kinderen naar de officierskamer gebracht.

De kapitein zorgt dat het de drie nergens aan ontbreekt. Ze krijgen een goede maaltijd en warmen zich bij de scheepskachel.

Hoewel ze aan boord veilig zijn, kijken ze nog vaak schichtig om als er een deur opengaat. De kapitein merkt het en glimlacht.

'Wees maar niet bang dat die lui hier zullen komen,' zegt hij. 'Hoe heten jullie ook weer?'

'Laurie en Cecil.'

'Laurie en Cecil. Ik zal jullie namen nu goed onthouden.'

'En jij...'

'Ik heet Douwe.'

'Jij verdient een grote pluim, Douwe, geweldig, hoe je alles geregeld hebt. Dank zij jou zijn Lauren en Cecil...'

'Laurie.'

'Dank zij jou zijn Laurie en Cecil hier veilig aan boord gekomen. Daar zul je geen spijt van krijgen.'

'Nou, 't komt niet alleen door mij, meneer. Ze waren zelf ook heel dapper. Ik snap niet hoe ze het allemaal konden volhouden.'

Douwe wil nog meer zeggen, maar op dat moment komt er een forse man de kajuit binnen. Hij heeft een bruin, doorgroefd gezicht en ernstige ogen, die gewend zijn naar de horizon te turen. Het is de stuurman.

De man fluistert de kapitein iets in het oor waarna deze opstaat en samen met hem naar buiten gaat.

Er zit nu alleen nog een wat oudere meneer in de kajuit.

Hij ziet er voornaam uit met zijn donkerblauwe pandenjas en zijn zilvergrijze bakkebaarden. Toen de kapitein met de kinderen sprak, zat hij stil toe te luisteren. Nu knikt hij de kinderen vriendelijk toe. Maar gelijk komt de kapitein weer binnen.

'Meneer van Klinkhoven,' zegt de kapitein tegen de deftige man, 'we hebben besloten nog vanavond te vertrekken.'

15. Terug naar Texel

De terugreis verloopt moeizaam. Er woeden zware stormen en de Maria-Anna heeft vaak met tegenwind te kampen. Het schip raakt daardoor uit de koers en verliest veel tijd.

In het begin hebben Cecil en Laurie veel last van zeeziekte. Maar ze blijven dapper. Op een schip in de storm is het altijd nog beter dan in een donkere onderaardse grot achter tralies.

Douwe probeert ze zo goed mogelijk Nederlands bij te brengen. Hij denkt aan de zeelui die hem op de heenreis Engels leerden. Daar heeft hij onderweg veel gemak van gehad.

De kinderen luisteren graag naar meneer Van Klinkhoven. Hij kan prachtig vertellen over zijn reisavonturen. In zijn jonge jaren is hij enkele keren in Oost-Indië geweest en daar heeft hij bijzondere mensen en dieren gezien. Als hij daarover vertelt, hangen de drie aan zijn lippen.

Meneer van Klinkhoven heeft ook veel belangstelling voor hún verhalen. Hij luistert stil naar de belevenissen van Cecil en Laurie en probeert hen te troosten als het over hun vader gaat.

Als hij hoort dat Douwe een Texelaar is, zegt hij enthousiast: 'Dan zijn we bijna buren. Ik woon sinds twee jaar in de nieuwste stad van Holland.'

'In Den Helder?' vraagt Douwe verrast.

'Ja, jongen, nu dat dorp uitgroeit tot een stad met scheepswerven en forten, hebben ze daar ook juristen nodig. Dit was mijn laatste reis naar Amerika. Binnenkort krijgt ik nieuw werk.'

'Wat bent u als u ju... jurist bent?' vraagt Douwe.

'O, je kent dat woord niet? Nou, een jurist is iemand die goed thuis is in de wetten van een land. Je kunt rechter zijn, of advocaat.'

'O, rechter...' zegt Douwe, 'dat klinkt belangrijk.'

'Hoe kwam jij nou helemaal in Boston terecht?' vraagt meneer Van Klinkhoven. 'Zo'n Texelse jongen steekt toch niet zomaar de oceaan over?'

'Och, dat is niet zo' n leuk verhaal,' antwoordt Douwe.

Terwijl hoog boven hen de storm door het touwwerk giert, vertelt hij alles wat hem is overkomen. Over de brand in de schapenboet, over de valse beschuldiging en over zijn vlucht met Tijs...

Meneer Van Klinkhoven luistert verontwaardigd toe.

'Elke keer zie je hetzelfde,' zegt hij. 'Gemene lui maken dat eerlijke mensen moeten lijden en vluchten.'

'Eigenlijk zie ik er wel tegenop om naar Texel terug te gaan,' zegt Douwe. 'Ze kunnen me nog steeds oppakken. Ik had niet weg moeten gaan, want nu lijkt het net of ik schuldig was.'

'Dat je schuldig bent zullen ze na je terugkeer nog steeds denken,' zegt meneer Van Klinkhoven. 'Jammer dat jouw vriend, Tijs, de waarheid voor je verzweeg. Die brand moet het werk geweest zijn van de mannen die jouw geld hadden afgepakt. Ze wilden jou verdacht maken. Die tondel spreekt duidelijke taal. Ze moesten je kwijt en dat is ze nog gelukt ook.'

Douwe kijkt somber.

'Laat je niet bang maken. Je kunt altijd bij mij aankloppen. Kom je ooit voor de rechter, dan wil ik je graag helpen. Ik ben niet voor niets advocaat.'

Douwe voelt zich enorm opgelucht. Wat geweldig dat meneer Van Klinkhoven het zo voor hem opneemt.

Toch neemt hij zich voor, niet te gauw om hulp te vragen. Hij heeft altijd zijn eigen boontjes gedopt en dat wil hij blijven doen.

Weken later bereikt het schip eindelijk de Hollandse wateren. Na een korte stop aan het Nieuwe Diep, de haven van Den Helder, vaart de Maria-Anna over de Zuiderzee verder naar Amsterdam.

Douwe is met Cecil en Laurie van boord gegaan. Er staat een felle noordoosterwind, waardoor ze gedwongen zijn in Den Helder te blijven. Gelukkig biedt meneer Van Klinkhoven aan dat ze bij hem kunnen logeren.
Douwe vindt het jammer dat hij niet meteen naar Texel kan gaan. Stil loopt hij langs zee. Aan de overkant zijn de Texelse duinen te zien. Het lijken nu grijze vlekjes. Wat een verschil met de bergen en heuvels in Amerika.

Na drie dagen gaat de wind liggen. Nu kan hij een schipper zoeken die hem kan overzetten. Omdat hij eerst de situatie op Texel wil verkennen, besluit hij in zijn eentje naar het eiland te gaan. Cecil en Laurie mogen bij de familie Van Klinkhoven blijven logeren tot hij terug is. En als het moet zelfs langer.
't Is voor Douwe een bijzondere belevenis, de haven van Oudeschild weer voor zich te zien. Hoe dichter hij bij huis komt, hoe onrustiger hij zich voelt. Hoe zal het zijn met moeder, met opa, met Antje? Er kan van alles gebeurd zijn.
De Helderse schipper die Douwe overzet, weet gelukkig niet wie hij is en het is aan de haven op dit uur lekker rustig.
Met zijn tas over de schouder gaat Douwe op weg naar De Waal. Hij gaat langs de zeekant van de dijk. Daar zal hij amper iemand tegenkomen. Bekenden zullen hem trouwens niet gauw herkennen. In zijn deftige plunje en met zijn dure hoed op het hoofd, lijkt hij een onbekende rijkeluiszoon. Toch blijft hij voorzichtig. Voorlopig hoeft niemand te weten dat hij terug is.
Bij het gehucht Dijkmanshuizen verlaat hij de dijk en wandelt verder door de lage weiden.
't Is een rustige voorjaarsavond. Het eiland strekt zich wijd voor hem uit.

De ondergaande zon legt een gouden glans over de velden. Honderden schapen liggen vredig te herkauwen. Wulpen, tureluurs en kluten benen met hun lange stelten door de plassen. In de verte is de toren van Oosterend te zien, en het baken op de dijk. Hij geniet van alles om zich heen. Wat heerlijk om weer op zijn eiland te zijn.

16. Droevig nieuws

Nog voor het donker bereikt Douwe de oude boerderij die hij voor het laatst zag tijdens de rampnacht van de brand. Met een vreemd gevoel maakt hij de deur open. Geruisloos stapt hij het schemerige portaal binnen. Wie zal hij dadelijk zien? Op zijn tenen loopt hij naar het knusse kamertje. De lampen branden al. In het zwakke licht heeft de jongen met één blik gezien dat moeder en opa er nog zijn. Moeder is grijs geworden. Opa's rug is dun en gebogen.

Als Douwe kucht lijken ze te verstenen. Even zitten ze verstomd naar hem te kijken, dan komen ze lachend en huilend tegelijk naar hem toe. Ze omhelzen hem en grijpen hem vast alsof ze hem nooit meer los willen laten.

'Jongen, hoe kom jij hier opeens?'

'Waar ben je toch zo lang geweest?'

'Helemaal in Amerika, maar ik ben lekker terug en ze krijgen me hier nooit meer weg.'

'Nee, nee, we willen je nooit meer missen,' zegt opa.

Moeder vraagt: 'Hoe kom je aan die dure kleren, jongen? Je ziet eruit of je vader een kasteelheer is.'

'Straks zal ik alles vertellen, maar... is Antje er niet?'

Op Douwes vraag springen de tranen in zijn moeders ogen.

Snel veegt ze ze weg. Ze wil iets zeggen, maar er komt geen woord over haar lippen.

'Wat is er? Is er wat gebeurd?' Douwe staart moeder verschrikt aan.

'O, jongen, 't is zo erg allemaal.'

'Ga maar even zitten,' zegt opa.

'Maar zegt u dan iets, ze is toch niet...?'

'Antje is in Den Helder. Ze hebben haar opgesloten...'

'Den Helder? Daar kom ik net vandaan. Vertelt u alstublieft wat er gebeurd is.'

'Toen je wegvluchtte, was Antje nog bij de brand. De schout bracht haar thuis en hij had de tondel in zijn hand. Wij moesten een verklaring geven hoe de tondel bij de brandende boet terechtgekomen kon zijn. Dat konden we niet en toen vroeg hij waar jij was. We zeiden dat je was weggegaan en toen stond voor hem vast dat jij de brandstichter was.'

'En hoe reageerde Antje?'

'Ze kwam niet tot bedaren. Overal zocht ze je en ze werd steeds onrustiger. Op een avond is ze weggegaan en daarna was ze wekenlang spoorloos. Pas na een maand hoorden we dat ze haar in Den Helder gevonden hadden. Ze was zo in de war, dat ze iedereen sloeg en schopte. Toen heeft het stadsbestuur haar opgepakt.'

'Den Helder... Hoe kan ze daar nou terechtgekomen zijn? Ze durfde nooit op een schip te gaan.'

'Wij vonden het ook al zo raar.'

'Hebt u niet geprobeerd haar vrij te krijgen?'

'Natuurlijk hebben we dat, maar ze wilden haar niet laten gaan. Ze waren bang dat ze gevaarlijk zou worden.'

'Antje gevaarlijk? Belachelijk gewoon!'

'Opa en ik zijn er drie keer geweest, maar de gevangenbewaarders wilden niet eens met ons praten.'

Douwe is vreselijk uit het veld geslagen. Hij moet helemaal tot zichzelf komen. Moeder is intussen opgestaan om *saliemelk* voor hem te maken.

Opa zucht. 'Ja, jongen, het leven is niet altijd gemakkelijk.'

'Gelukkig zijn jullie er allebei nog,' zegt Douwe uit de grond van zijn hart. 'En nu ben ik er ook weer.'

'Eigenlijk is het gevaarlijk dat je hier bent,' zegt moeder met gedempte stem. 'Als ze je zien, arresteren ze je zo.'

'Ik heb een goed geweten, moeder. Maar u hebt gelijk, niemand mag weten dat ik hier geweest ben. Morgen ga ik zo gauw mogelijk terug naar Den Helder. Ik wil dat Antje daar geen dag langer blijft.'

'Ach, jongen, je kunt het toch niet tegen de heren van het bestuur opnemen?'

'Ik doe wat ik kan. Ik heb op mijn reis heel wat meegemaakt. Ik laat me nu niet zo gauw meer in een hoek duwen.'

'We snappen nog steeds niet hoe je aan die dure kleren komt,' merkt opa op. 'Vertel eens, wat heb je allemaal meegemaakt? En waar is Tijs gebleven?'

'Tijs is nog in Amerika. Die komt pas terug als hij rijk is.'

Moeder glimlacht: 'Jij ziet er anders ook niet uit als een bedelaar, ik herkende m'n eigen zoon haast niet, en je bent zeker een kop groter.'

'Ik ben ook meer dan twee jaar ouder.'

'Dat is zo. Maar opa heeft gelijk: je moet nu eens gauw je verhaal vertellen.'

'Doe ik graag, maar ik ga eerst even vlug naar het zijkamertje, want er is volk aan de deur.'

17. Dreigementen

Douwe staat met z'n oor tegen de wand te luisteren. Wie zijn de twee kerels die met zo veel kabaal de kamer binnenstappen? Waarom schreeuwen ze zo?

Plotseling houdt hij de adem in. Het zijn de broers Kossman: Melle en Melis, die hem de dag voor zijn vlucht hebben overvallen en beroofd. Wat komen ze doen? Wie geeft ze het recht, om zich zo ongemanierd te gedragen?

Douwes bloed begint te koken. Hij zal ze weleens even... Maar als hij zijn hand aan de deurknop heeft, bedenkt hij zich. Nee, hij moet nog even wachten. Eerst een goed plan. Voorlopig mogen ze niet weten dat hij terug is.

Vol ingehouden woede hoort hij de mannen tegen moeder en opa tekeergaan. Uit hun woorden leidt hij af dat ze de huur komen ophalen.

'Nog twee weken, Kossman, dan zal ik je het geld geven,' belooft opa.

'We willen de huur nu, en anders laten we jullie op straat zetten! Versta je me goed, Saris?' Het is Melis die dat zegt.

'Misschien kan ik iets halen bij de bank als lening, maar dan moet je toch een paar dagen geduld hebben.'

'Nog meer geduld?! We komen hier over precies een week terug en als je dan het geld niet hebt, krijg je bezoek van de *deurwaarder*! Duidelijk genoeg?'

'Ik doe m'n best...' zegt opa met bevende stem. 'Je weet toch dat we haast geen inkomsten hebben de laatste tijd?'

'Niks mee te maken,' valt Melle zijn broer bij. 'Als iedereen uitstel van betaling vraagt, kunnen wij onze rente wel vergeten.'

De broers verlaten kwaad de kamer. Melle geeft een schop tegen de tafel. De melkkan valt aan scherven op de vloer.

Douwe snapt zelf niet hoe hij zich zo kon beheersen. Het liefst had hij die twee met de koppen tegen elkaar geslagen. Maar later is hij blij dat hij het niet gedaan heeft. Hij moet zijn kruit niet te vroeg verschieten.

'Komen zij tegenwoordig de huur ophalen?' vraagt hij als moeder hem opnieuw heeft ingeschonken.

'Jammer genoeg wel. Hun vader is vorig jaar overleden en met het geld van zijn erfenis hebben zij verschillende huizen in het dorp gekocht. Voor de huurders is het een ramp, want ze ontzien geen mens. De oude weduwe List hebben ze op een avond zo uit haar huis gezet. Het sneeuwde en het was ijskoud. Wij hebben haar maar een poosje in huis genomen. Ze zit nu in het armen-huis.'

Opa krabbelt achter z'n oor. 'En nu zijn wij aan de beurt.'

Douwe kijkt grimmig. 'Wacht maar af, de week is nog niet om!'

18. De wilde kat

Een dag later steekt Douwe weer over naar Den Helder. Allereerst wil hij Antje zien vrij te krijgen. Hij zoekt en informeert overal, maar nergens is ze te vinden. Ook niet in het gebouw dat opa en moeder noemden.

Hondsmoe gaat hij ten slotte naar het huis van de familie Van Klinkhoven.

'Je treft het niet,' zegt mevrouw Van Klinkhoven. 'Mijn man is juist vanmorgen naar Alkmaar vertrokken en Cecil is met hem mee. Ze blijven daar twee dagen bij familie. We hadden je niet zo snel terugverwacht.'

'Ik zou ook eigenlijk een week op Texel blijven,' antwoordt Douwe. 'Dat hadden we afgesproken, maar ik hoorde dat mijn zus hier ergens in Den Helder gevangen wordt gehouden.'

Douwe vertelt in enkele woorden wat er gebeurd is.

'Och, verschrikkelijk,' zegt mevrouw Van Klinkhoven, 'dat arme kind heeft het misschien erg slecht.'

'Daar ben ik ook bang voor.'

'Kan ik niet meegaan om haar te zoeken?' vraagt Laurie.

'Wist ik maar waar we moeten zoeken,' zegt Douwe. 'Ze kan op zo veel plaatsen zijn...'

Mevrouw Van Klinkhoven knikt. 'Het is vaak zelfs al moeilijk uit te zoeken waar iemand wóónt. Den Helder groeit zo snel, dat er overal nieuwe wijken gebouwd worden.'

Omdat Laurie erg aandringt, gaan Douwe en zij later op de dag op pad. Ze lopen langs het Nieuwediep, waar het Noordhollands kanaal gegraven wordt. Daar zien ze een buurt met kleine huizen, die gebouwd zijn van hout, leem en stro. 'Strodorp' noemen ze de wijk. Douwe en Laurie vragen er wat rond, maar ook daar worden ze niets wijzer.

Verderop wordt gewerkt aan de bouw van een grote scheepswerf. Daar is een leger van mannen in de weer. Er zijn magazijnen, opslagplaatsen en bouwketen kriskras door elkaar gebouwd. Als Douwe aan een van de werklieden uitlegt dat hij zijn zus zoekt, wijst hij naar een houten gebouw achter een hoge omheining. 'In die *keet* worden mensen vastgehouden. Dieven en vechtersbazen. Raar volk, dat je niet vrij rond kunt laten lopen.'

'Daar is ze vast niet,' zegt Laurie, maar Douwe gaat toch vragen.

Bij de ingang staat een soldaat op wacht. Hij houdt ze tegen.

'Wat komen jullie doen?'

'Ik zoek een meisje van een jaar of achttien,' zegt Douwe. 'Ze is op Texel vermist en we hoorden dat ze hier in Den Helder moest zijn.'

De man kijkt verbaasd naar de beide jongelui. Ze dragen dure kleren. Die zoeken vast naar een keurig meisje. Niet naar de wilde kat die ze een half jaar geleden hebben opgesloten.

'Er zitten hier twee vrouwen, maar die zijn het vast niet,' zegt de wachtsoldaat.

'Mogen we toch even gaan kijken?' vraagt Douwe.

'Nou, kom maar even binnen. We hebben twee bewaarders die jullie wel even naar hun hok willen brengen. Maar schrik niet, ze kunnen schreeuwen dat je haren overeind gaan staan.'

'Wij schrikken niet zo gauw.'

De bewaker brengt Douwe en Laurie binnen de omheining, waar een zeer grote man rondloopt. Hij ziet er onguur uit, alsof hij zelf een veroordeelde is.

'Ze zoeken iemand,' vertelt de soldaat.

'Een forse vrouw, maar erg kinderlijk,' legt Douwe uit.

'Hier in het gebouw hebben we vreemd volk,' zegt de ruige man, 'maar de ergste gevallen zitten daar. Twee vrouwen.' Hij wijst naar twee kleine stenen hokken die tegen de binnenmuur gemetseld zijn.

Douwe kijkt er met afschuw naar. Voor een varken zou het nog te min zijn.

'Nou, hou je vast,' zegt de bewaarder. 'Rechts zit een vrouw die altijd mensen beroofde en links zit een jonger iemand. We moeten haar eten door een luikje naar haar toeschuiven, anders vliegt ze ons aan. Een maat van me heeft die meid blauwe plekken moeten slaan. Gewoon uit zelfverdediging.'

Douwes adem stokt. Hij voelt zich vreselijk gespannen. Van opzij komt de tweede bewaker aanlopen. Hij kijkt wantrouwig.

'Goed volk, Barend, ze komen kijken of hier een bekende van ze zit,' legt de reus uit.

'Dat zal ons viswijf wel niet zijn,' grinnikt Barend. 'Ik zou zo'n schreeuwlelijk niet graag in m'n familie hebben.'

'Afwachten,' zegt Douwe nuchter. 'Kan ik door dat raampje naar binnen kijken?'

'Welja, kijk maar even. Maar laat ze je niet zien, want als die dame iets niet zint, gaat ze dwars door de tralies heen. Nou ja, bij wijze van spreken dan.'

Douwe loopt naar het raampje van de aangewezen cel. Hij buigt zich voorover om naar binnen te turen. In het halfdonker zit een jonge vrouw met kortgeknipt blond haar. Ze ziet er vreselijk ongelukkig uit.

Als ze merkt dat er iemand kijkt, richt ze even haar hoofd op. Douwe klemt zijn nagels in het hout van de raampost. Zijn adem stokt in zijn keel: daar zit zijn zus, daar zit Antje...

'Het is haar zeker niet?' veronderstelt de reus.

'Het is haar zeker wel,' zegt Douwe met ingehouden woede. Hij loopt naar de mannen terug.

Ze staren hem met open mond aan. Iemand met zulke deftige kleren de broer van die feeks?

'Zij is het meisje dat ik zoek,' zegt Douwe. 'Kunnen jullie me even bij haar binnenlaten?'

'Man, je weet niet wat je vraagt!' zegt Barend.

'Als jou iets overkomt, brengen ze ons voor de rechter,' vult de reus aan.

'De gevolgen zijn voor mij.'

'Dat kun je wel zeggen, maar...'

'De gevolgen zijn voor mij.'

'Goed, de gevolgen zijn voor jou. Onder getuigen gezegd.'

Barend draait de sleutel om en Douwe stapt naar binnen. De bewakers lopen een stukje bij de deur vandaan. Ze houden hun wapen bij de hand.

Laurie blijft bij de deur staan wachten.

Zodra Douwe de cel binnenkomt, springt Antje op en begint woedend met haar vuisten te zwaaien. Ze vliegt op Douwe af en wil hem bij zijn polsen grijpen, maar Douwe trekt de hoed van zijn hoofd en zegt: 'Wat doe je lelijk, Antje. Je mag je broer ook wel een pakkerd geven.'

Op dat moment valt het meisje stil. Ze kijkt of ze een geestverschijning ziet. Dan geeft ze een kreet. Een lange kreet vol blijdschap en verdriet tegelijk. Het lijkt wel of ze alle pijn van de laatste tijd in één keer wil uitschreeuwen. Douwe omhelst haar. Hij krijgt tranen in de ogen.

'Waar was je nou?' roept Antje wanhopig. 'Je moet voortaan altijd hier blijven. Nooit meer weggaan!'

'Nee, hoor, ik blijf voortaan vlak bij je. Je laat me toch wel heel, hè?'

'Ik wil mee naar moe en opa. Nu! Nu meteen!'

'Nee Antje, je moet hier nog even blijven, maar ik zorg dat je gauw met ons mee mag.'

Op dat moment komt Laurie binnen. Zij wil Antje omhelzen, maar die deinst geschrokken terug.

Douwe moet lachen. 'Geef haar ook maar een pakkerd, Antje. Dit is Laurie, en zij komt bij ons wonen.'

Nu laat Antje toe dat Laurie haar een knuffel geeft: 'Zo, jij bent Antje? Jij maakte dus altijd die grappen waar Douwe zo om moest lachen?'

'Laat nog eens zien hoe je dat doet,' zegt Douwe, 'Ik ben Jan Joppie met het muizenkoppie.' Hij trekt een rare grimas.

Antje begint te schateren. Ze komt niet meer bij.

De wachters kijken elkaar stomverbaasd aan. Zo kennen ze dit meisje helemaal niet.

'Nou, hoe vind je haar?' vraagt Douwe aan z'n zus. 'Ze heet Laurie en komt helemaal uit Amerika. En er komt ook nog een broertje mee. Als je weer thuis bent wordt het heel gezellig! En je moet me één ding beloven: voortaan ben je tegen de wachters hier net zo aardig als tegen ons. Anders laten ze je niet gaan.'

'Komen jullie echt terug?'

'Nou ja, natuurlijk niet als de lucht opeens naar beneden valt of als m'n schoenen de andere kant op willen lopen.'

Antje schatert het weer uit.

Douwe gaat naar de wachters terug. Die snappen er nog steeds niets van.

'Wat ben jij voor wondermens?' vraagt Barend. 'Zoiets heb ik nog nooit meegemaakt.'

'Zeker weten,' zegt de reus. 'Die vrouw was volkomen knetter. Niemand durfde bij haar te komen en nu is ze zo mak als een lammetje.'

'Jullie hebben je gewoon vergist,' zegt Douwe. 'Ze was niet gek. Ze was alleen maar ziek. Ziek van verdriet. En nu gaat het elke dag beter. Let maar op.'

19. Laat bezoek

Het is een donkere, stormachtige avond bij het dorpje De Waal. Hoewel het al bijna mei is, heeft opa Saris toch maar vuur gemaakt in de haard. Nu voelen ze eindelijk wat warmte om zich heen.

'Jammer dat Douwe er nog niet is,' zegt moeder voor de zoveelste keer. Haar gedachten zijn steeds bij haar zoon. Toen hij naar Den Helder ging om Antje te zoeken, had ze hem al vlug terugverwacht. Maar er is al bijna een week voorbij en ze hebben niets meer van hem gehoord.

'Je denkt toch niet dat ze Antje zomaar laten gaan?' zegt opa.

'Waarom niet?'

'Omdat er misschien van alles gebeurd is.'

'Zo'n lief kind? Ze zou geen vlieg kwaad doen.'

'Ja, maar als iets haar niet bevalt, kan ze vreselijk tekeer gaan. Mensen die haar niet kennen, maakt ze bang.'

'Ik hoop dat Douwe de bewakers kan ompraten.'

'Ja, we hopen er maar het beste van.'

Opa schuift zijn stoel nog wat dichter naar het vuur.

Op dat moment wordt er buiten op de deur gebonsd. Moeder en opa kijken verschrikt op. Wie kan dat nou zijn? Maar nog voor ze naar de deur kunnen gaan, stapt er een man binnen.

Het is Melle Kossman.

'De huur,' zegt hij kortaf.

'Jullie zouden... donderdag... toch pas komen?'

'Hebben we dat gezegd?' vraagt Melle schijnheilig.

'We hebben het allebei gehoord,' bevestigt moeder.

'En ik eis het nu!' zegt Melle met een felle glinstering in de ogen.

Moeder en opa kijken hem verstomd aan.

'Hebt u het al in huis? Zeg op!'

'Ik heb het al in huis, maar jullie zouden donderdag pas komen...'

'Wat maakt het uit of u het me nu vast meegeeft?'

Opa kijkt besluiteloos naar moeder. 'We hebben het al gehaald...' zegt hij. 'Dan kan ik het nu toch wel vast meegeven?'

'Is je broer er niet bij?' vraagt moeder.

'Die had geen tijd om te komen. Hij zei dat ik hier maar even naar toe moest gaan.'

'Nou, ik zal het dan wel pakken,' zucht opa. 'Het is aardig wat geld, dus ik heb het maar goed weggeborgen.'

Opa loopt naar een donkere hoek van de schuur.

Hij haalt een blauw zakje vanonder de baaltjes erwten en bonen tevoorschijn en wil er mee naar de kamer gaan, om Melle zijn handtekening te laten zetten, maar op dat moment springt er een onbekende tevoorschijn. Die grist het geld uit zijn handen en gaat ermee aan de haal. De dief heeft een doek voor het gezicht, zodat hij niet te herkennen is.

Melle geeft een schreeuw en holt naar buiten, achter de man aan. Maar die is al in het duister verdwenen.

'Precies waar ik bang voor was...' roept opa. 'Die lafaards hebben dit afgesproken.'

'Denkt u..?' vraagt moeder.

'Ik hoor genoeg verhalen hier in de omgeving...'

'Als u het wist had u toch voorzichtiger moeten zijn?'

'Tja, maar hij is onze huurbaas en we hadden het geld al in huis...'

'Och, wat moeten we nu?' vraagt moeder wanhopig. 'Hij had nog niet voor ontvangst getekend, dus het geld is niet van hem. Nu moeten we onze huur nog een keer bij elkaar zien te krijgen. Waar moeten we het vandaan halen? Ik weet het niet meer...'

'Hopeloos,' zucht opa. 'We kunnen onze spullen net zo goed met-een maar naar de opkoper brengen. Die jongens hebben geen geweten.'

Een heel tijdje zitten moeder en opa zwijgend bij elkaar. Ze denken aan alles wat kan gaan gebeuren.

'Ik hoor de deur,' zegt moeder geschrokken. 'Vast weer die Melle...'

Opa loopt bevend van spanning naar de deuropening, maar op dat moment klaart zijn gezicht op.

'Goed volk!' roept hij blij. 'Kijk nou toch, hoe later op de avond...'

'Douwe!' juicht moeder. 'O, jongen, wat heerlijk dat je er bent!'

'Ik heb nog een logee meegenomen,' lacht Douwe geheimzinnig. 'Kom eens voor de dag, Laurie!'

Het meisje stapt vrolijk lachend de kamer in en omhelst spontaan opa en moeder. Ze heeft zoveel over deze mensen gehoord...

'Heb je maar één logee meegenomen?' vraagt opa verwonderd. 'Waar is die kleine jongen gebleven?'

'Die komt later,' zegt Douwe. 'En u mag drie keer raden wie er ook meekomt.'

'Toch niet...'

'Nee, dat zou te mooi zijn.'

'Zegt u maar wat u het meest hoopt.'

'Antje...?'

'U raadt het al in één keer!'

'Is het echt waar? Komt Antje mee?'

'Ja, het is waar. Die meneer Van Klinkhoven heeft zo zijn best voor ons gedaan. Zonder hem was het me nooit gelukt haar vrij te krijgen. Dan had ze daar misschien nog maanden moeten blijven.'

Douwe vertelt in korte zinnen hoe hij er in slaagde de gevangenis binnen te komen en hoe Antje eruitzag. Moeder barst in tranen uit. Tranen van opluchting, maar ook tranen van verdriet omdat haar kind dit allemaal moest doormaken.

'Het is me er toch eentje, die Antje,' zegt opa hoofdschuddend, 'dat die grote kerels allemaal bang van haar waren...'

Hij kan het niet helpen dat hij even achter zijn hand moet lachen.

'Ja,' zegt Douwe, 'maar het mooiste is, dat ze de laatste dagen Antje juist erg aardig vonden. Ze zagen nu pas hoe ze eigenlijk is. Ze deed heel vriendelijk tegen ze en ze maakte allemaal complimentjes. Toen ik haar kwam halen zeiden de bewakers: "Jij krijgt Antje niet mee hoor, die blijft lekker hier," en als u haar toen had horen schateren, want ze snapte wel hoe het zat.'

'Die Antje,' zegt moeder. 'Maar de bestuurders waren dus tegen?'

'Die zagen alleen maar problemen. Gelukkig nam meneer Van Klinkhoven het voor ons op. Ik beloofde dat alles goed zou gaan en dat was voor hem genoeg.'

'En komt die meneer ze zelf brengen?' vraagt moeder.

'Ja, hij laat zijn rijtuig overzetten en brengt ze in eigen persoon hier naar huis. Hij had ons ook willen meenemen, maar ik wou liever meteen maar gaan. Anders wist u helemaal niet waar ik bleef. Eigenlijk waren we trouwens vanmiddag al op Texel, maar we zijn eerst naar Tijs' ouders geweest. Die vertellen aan niemand dat ik terugben.'

'Dus je was al op het eiland,' zegt moeder. 'Jammer dat je niet een halfuur eerder bent gekomen.'

'Een halfuur eerder?'

Moeder kan er niets aan doen dat de tranen nu weer voor de dag komen. Hortend en stotend vertelt ze het verhaal van de diefstal van het huurgeld. Douwe luistert woedend toe. Zo kent hij moeder niet. Vroeger liet ze nooit haar tranen zien. Ze moeten hier thuis de laatste tijd heel wat hebben doorgemaakt. En het gedrag van Melle en Melis heeft dat er niet beter op gemaakt.

'Tijs' ouders hebben ons ook het een en ander over dat stel verteld,' zegt Douwe.

Opa zucht. 'Ja, zij huren ook van de jongens Kossman.'

'Er zijn meer mensen die last hebben van hun streken,' zegt moeder.

Douwe knikt. 'We moeten maar eens met alle huurders gaan praten en kijken wat we doen kunnen.'

'O, jongen, wat ben ik blij dat je terugbent,' zegt moeder als ze even later rondom de haard zitten. 'Het leek wel of je weer naar het buitenland was gegaan.'

'Het was beter voor Antje dat ik nog een poosje in Den Helder bleef. Toen ze me elke dag even zag, wist ze dat we aan haar dachten. Anders was ze misschien weer opstandig geworden. Die bewaarders zagen dat ook in. Daarom vonden ze het goed dat ik haar steeds even opzocht.'

'God heeft ons gebed verhoord,' zegt opa dankbaar. 'Als je toch weet hoe vaak we voor jou en je zusje gebeden hebben...'

Hij neemt zijn oude Bijbel van het kastje en leest met zachte stem een dankpsalm voor. Douwe is blij dat hij in een donker hoekje zit, want hij is amper in staat om zijn tranen tegen te houden. Opa in zijn hoekje met de Bijbel op schoot. Hoe vaak heeft hij daar niet aan gedacht op zijn lange reis?

20. 'Wat moet jij hier?'

Die nacht slaapt Douwe op zijn eigen zoldertje. Zijn bed staat al mooi opgemaakt te wachten. 't Lijkt wel of hij nooit weg is geweest.

Toch voelt Douwe zich niet gerust. Hij kan er niets aan doen dat hij telkens wakker schrikt. Steeds ziet hij de gezichten van Melis en Melle Kossman voor zich.

Hij kan niet vergeten wat zij hem hebben aangedaan. Eerst dat getreiter op zijn werk, daarna die overval en die brandstichting, waardoor hij van het eiland moest wegvluchten, nu de manier waarop ze moeder en opa behandelen. En dan ook nog die andere streek, waarover hij nog niet eens heeft willen praten. Misschien wel het ergste dat ze de familie hebben aangedaan...

Douwe trilt van woede. Hij heeft al vier keer een dolkmes in zijn handen gehad. Hij verlangt ernaar zich op hen te wreken. Ze moeten maar eens weten wat ze hem aangedaan hebben.

Maar langzamerhand gaan zijn gedachten een andere kant op. Hij ziet Antje voor zich, als ze straks thuiskomt. Wat zal ze blij zijn, en wat zal Cecil genieten op dit mooie eiland.

En zelf maakt hij alvast plannen voor de nieuwe boerderij die ze ergens in de buurt zullen laten bouwen. Geweldig om straks met z'n allen naar de markt en naar de boeren te gaan om eigen vee uit te zoeken.

Douwe voelt zich een stuk lekkerder nu hij die zwarte wraakgevoelens kwijt is. Voor het eerst van zijn leven is hij geschrokken van zichzelf. Stel je voor dat hij de broers echt te lijf was gegaan. Dan was hij zijn vrijheid voorgoed kwijt geweest, en dan had hij niets meer kunnen betekenen voor de mensen die hem nu juist zo nodig hebben. Nee, hij wil niet langer aan die pummels denken. Dat zijn ze hem niet eens waard. Maar hij heeft nog wel een appeltje met ze te schillen, en dat appeltje is bijzonder zuur...

De volgende morgen, als de familie gezellig in de kamer zit te praten, veert Douwe ineens op.
'We krijgen bezoek. Kijk eens, de *sjees* van de broers Kossman.'
'Daar komen ze,' zegt opa met trillende stem. 'En ik heb het geld nog niet eens...'
'Laat ze hun verhaal maar doen,' zegt Douwe. 'Laurie en ik gaan even in het zijkamertje. Op het goeie moment komen we wel tevoorschijn.'
'Ja, maar...'
'Nee, doet u maar wat ik zeg, opa.'
Even later stappen Melle en Melis weer met veel lawaai het huis binnen.
'U snapt zeker wel waar we voor komen, is 't niet?' zegt Melle.
'Ik had het geld speciaal voor je van de bank geleend,' zegt opa. 'Je zag toch dat ik het apart had gelegd?'
'Ja, maar wij hebben niets ontvangen. Wilt u uw huur nu dus nog maar even betalen?'
'En wel meteen!' vult Melis aan.
'Waar moeten we het vandaan halen? Jullie weten toch dat we arme mensen zijn?'
'Wij eisen onze huur en anders laten we beslag leggen op jullie spullen!' dreigt Melle.
'En we zeggen onmiddellijk de huur op!' onderstreept Melis.
'Maar wij, wat moeten wij dan? We kunnen toch niet onder de open hemel wonen?'
'Waar u wilt wonen zoekt u zelf maar uit, wij willen onze huur.'

Plotseling gaat de deur van het zijkamertje open en Douwe komt tevoorschijn. Melle en Melis kijken alsof ze water zien branden.

'Jij? Wat moet jij hier?'

'Jullie de huur geven. Kijk, 't zit in dit mooie blauwe zakje. Gelukkig staat er nu geen geblinddoekte dief om het hoekje die het weg kan pikken, wat jij, Melis?' Douwe kijkt Melis recht in de ogen.

'Wat wil je daarmee zeggen?'

'Dat we doorhebben hoe jullie je huur ophalen.'

'Bewijs dat maar 'es voor de rechter,' zegt Melle schijnbaar beledigd, 'we laten ons niet zomaar beschuldigen.'

'Geen probleem; ik heb getuigen genoeg,' vervolgt Douwe. 'Onze mensen hebben jullie in de gaten gehouden en we zullen gezamenlijk een aanklacht indienen. Arie Mossel, de vader van mijn kameraad Tijs, voorop.'

Melle en Melis schuimbekken haast van woede. Maar in hun hart weten ze niet wat ze aanmoeten met die Douwe Saris in zijn mooie kleren. Waar heeft die vent toch gezeten?

'Jij... jij hoort in het gevang!' schreeuwt Melle. 'Jij hebt de schuur bij ons in brand gestoken, en...'

Douwe had deze aanval verwacht. Hij besluit de broers te overbluffen.

'Jammer voor jullie dat we nu alles weten,' zegt hij. 'Jullie hebben de tondel uit ons huis gestolen en daarmee de schuur in brand gestoken om mij te beschuldigen. Ja, geef het maar toe: jullie waren bang dat ik naar de schout zou lopen om mijn recht te halen, want mijn loon was door jullie afgepikt.'

'W-wat?'

'Ja, en Melle heeft me nog in 't gezicht geschopt ook.'

'En jij ging er als een haas vandoor, dus gaf je toe dat je schuldig was.'

'Bij de rechtszitting zien we wel wie schuldig is,' zegt Douwe koeltjes. 'Dan zullen we ook bewijzen dat jij gisteravond het geld van mijn opa gestolen hebt, Melis Kossman.'

Melis lacht smalend. 'Hoe wil je dat bewijzen?'

'Omdat wij er zelf bij waren. Kom eens voor de dag, Laurie.'

Op dat moment stapt Laurie binnen.

'Ja, wij zagen alles,' zegt ze.

'En ik was de persoon die het geld weer uit jouw handen griste, Kossman,' zegt Douwe met een triomfantelijk lachje tegen Melis. 'Jij had het geld uit de handen van mijn grootvader weggepikt, maar we waren gewaarschuwd. Dankzij Arie Mossel stonden wij op de loer. De mensen hier in de omgeving kennen jullie streken langzamerhand wel. Nou, hier is de huur, daar hebben jullie recht op, maar teken wel eerst, anders staan jullie hier morgen weer voor de deur.'

'Wij tekenen niks! We gaan meteen naar de schout dan zal die je laten oppakken!' schreeuwt Melis.

'Jullie hebben geen schijn van kans,' zegt Douwe. 'Mijn zus Antje wordt hier straks door meneer Van Klinkhoven uit Den Helder gebracht. Zij zal vertellen welke valse streek jullie met haar uitgehaald hebben. Dat jullie haar 's nachts in een sneeuwstorm overgevaren hebben naar Den Helder en dat jullie haar daar zonder warme kleren en eten hebben achtergelaten. Ze is volkomen in de war geraakt en in een gevangenis opgesloten. Maar nu voelt ze zich weer goed en ze is ook prima in staat om te getuigen.'

'Kom mee, Melle,' zegt Melis, 'dit pikken we niet.'

'Ja, we zoeken het hogerop!' schreeuwt Melle. 'We gaan niet naar de schout, maar naar burgemeester Reinbach in eigen persoon!'

'Moet je de huur niet hebben?' roept Douwe de broers na. Hij rammelt verleidelijk met de munten.

'Die krijgen we wel gelijk met de andere kosten die jij moet betalen,' antwoordt Melis.

'Wacht maar, mannetje!' roept Melle. Hij zwaait met zijn vuist.

De broers lopen woedend naar hun sjees en rijden weg.

'Die zijn flink geschrokken,' gromt Douwe terwijl hij het rijtuigje nakijkt.

'Hoe durfde je, jongen,' zegt moeder vol bewondering. 'Ik hoop dat je er geen problemen mee krijgt.'

'Is het waar dat jij de huur van die dief weggenomen hebt?' vraagt opa perplex.

'Ja, dat is waar,' zegt Douwe met een knipoog naar Laurie.

'We waren de dieven te vlug af,' lacht het meisje.

'Had Arie Mossel jullie op dat idee gebracht?' vraagt moeder.

'Precies! Tijs' vader heeft ons uitgelegd hoe die gasten van Kossman te werk gaan en daardoor konden wij ze vóór zijn. We zagen ze met hun sjees voorbijrijden dus we waren gewaarschuwd. Langs het binnenpad zijn we hier naar huis gehold en we waren net op tijd. Het geld dat Melis uit opa's hand rukte, pikte ik weer van hem af. Gelukkig had hij er geen idee van dat ik het was, want ik had ook voor een mooie vermomming gezorgd.'

'En was Laurie er steeds bij?'

'Ze zag alles vanachter een tuinwal gebeuren. Ze kan getuigen hoe het allemaal gegaan is.'

'Ik heb het goed onthouden,' bevestigt Laurie.

'Maar wat vertelde je nou over Antje?' vraagt opa. 'Hebben zij haar naar Den Helder gebracht? Kwam ze daar door hún schuld?'

'Ja, 't was hun schuld. Ze hebben haar op een nacht over het Marsdiep gevaren en haar gewoon de wal opgeduwd. Is het dan raar dat ze zo bang en opstandig was?'

Moeder zucht: 'Nee, ik begrijp nu alles... Dat arme kind was natuurlijk wanhopig toen ze daar in haar eentje stond.'

21. Het meisje op het paard

Ongeveer een uur na het vertrek van Melle en Melis, rijdt een groot rijtuig het erf op.

'Kijk nou toch,' zegt opa geschrokken, 'de schout en de onderschout.'

'Er is ook een soldaat bij,' zegt moeder.

Douwe verschiet van kleur. Na zijn harde woorden tegen de broers Kossman verwachtte hij dat die zich wel koest zouden houden. Zelf had hij naar het gemeentehuis in Den Burg willen gaan om alles uit te leggen.

'Ben jij Douwe Saris?' vraagt de onderschout met een doordringende blik.

'Ja, ik ben het.'

'Is het waar dat jullie weigeren de huur aan de gebroeders Kossman te betalen?'

'Geen sprake van. Ik wou ze het geld geven, maar ze gingen ervandoor.'

'En dat moeten wij geloven?'

'Het is waar,' zegt opa over Douwes schouder heen. 'Mijn kleinzoon is ze met het geld achterna gelopen, maar ze wilden het niet aannemen.'

De mannen lachen bitter. 'Jullie moeten betere uitvluchten bedenken, man.'

'Komt u toch binnen,' zegt moeder, 'dan kunnen we alles uitleggen.'

'Ik heb een beter idee,' zegt de schout. 'We slaan uw Douwe in de boeien en hij gaat mee.'

'Nee, hij gaat niet meer weg,' protesteert moeder, 'mijn jongen is net terug uit Amerika.'

'Hij zal toch zijn straf moeten uitzitten,' gromt de onderschout. 'We hebben hem lang genoeg gezocht!' De soldaat grijpt Douwe beet en duwt hem naar het rijtuig.

'We hebben nog wel een mooi plekje waar hij over zijn zonden kan nadenken,' zegt de schout.

'U kunt beter zelf eens nadenken,' zegt opa verontwaardigd. 'U gelooft die leugenaars zomaar op hun woord.'

'En u kunt beter uw mond houden,' reageert de onderschout. 'Of wilt u dat we u ook meenemen?'

Opa staat te trillen van woede, maar moeder slaat haar arm om hem heen en brengt hem in de kamer terug.

Laurie kijkt met open mond het rijtuig na. Alles is zo vlug gegaan, dat ze er niets van begrijpt.

'Kom binnen, kind,' wenkt moeder. 'Je vat kou als je zo lang in de wind blijft staan.'

Het is voor Douwe of hij droomt. Nu zit hij in Den Burg in een kelder opgesloten en hij heeft zich niet eens kunnen verdedigen. Steeds als hij onderweg iets wilde zeggen, kreeg hij een snauw. Uit de gesprekken van de mannen heeft Douwe kunnen afleiden dat de broers Kossman hem hebben aangegeven bij Reinbach, de burgemeester van het eiland. Over enkele weken moet hij voor de rechter verschijnen en tot die tijd blijft hij hier in het gevang.

De kelder is een muffe ruimte, waar geen dekens liggen en geen kachel brandt.

Langzaam glijden de uren voorbij. In het begin was Douwe nog zo kwaad en opgewonden, dat hij geen kou voelde, maar nu gaat hij rondjes lopen en zich flink bewegen om niet te verkleumen.

Hij voelt zich treurig en opstandig. Waarom wil er niemand naar hem luisteren? En waarom geloven ze die oplichters op hun woord?

't Komt ook allemaal zo slecht uit: precies vandaag staat er weer een harde noordwester, waardoor meneer Van Klinkhoven de overtocht uit Den Helder niet kan maken. Ook opa, moeder en Laurie kunnen niets voor hem doen. Hij is weer alleen, net als in Amerika. 't Lijkt wel of het niet anders mag in zijn leven. Is God hem vergeten? Telt hij niet meer mee?

Het is zo'n dag waarop het van vroeg tot laat donker blijft. De storm lijkt met het uur sterker te worden en loeit om de daken. Wie niet naar buiten hoeft, blijft in huis en zorgt voor een flink vuur in de haard. De bomen zwaaien heen en weer en de wolken drijven laag over.

Maar wie ging daar als een schim voorbij? Een jong meisje op een snel paard. Haar haren en haar ruime mantel wapperen in de wind. Als een speer vliegt ze langs de Bomendijk, de boerderijen en de huizen, langs weilanden en verlaten akkers. Hier en daar stopt ze even om de weg te vragen, dan vliegt ze weer verder.

Het is Laurie.

Pas voorbij Den Burg, bij een grote boerderij, stapt ze af. Laurie heeft gehoord dat daar vandaag de vrouwen van de *regenten* op bezoek zijn.

Ze loopt met haar paard aan de hand het erf op. Het begint net vreselijk te regenen. De boerin heeft haar zien aankomen. Ze opent verbaasd de deur en vraagt wat ze komt doen.

Laurie is buiten adem. Haar donkere haren plakken in haar gezicht en haar kleren zijn doorweekt. Als een knecht het paard heeft overgenomen, brengt mevrouw Keijser, de boerin, de jonge bezoekster naar de kamer. Daar zit een groepje keurig geklede vrouwen samen koffie te drinken.

'Kind, waar heb je het paardrijden zo goed geleerd?' vraagt een van hen bewonderend.

'In Amerika, mevrouw, ik kom uit Boston.'

Nu zitten de aanwezigen allemaal rechtop. Een kind uit Boston dat hier te paard langs de wegen jakkert? Daar willen ze meer van weten.

Nadat ze een beker hete melk heeft gedronken, komt Laurie een beetje bij.

'Ik heb u zo lang gezocht,' zegt ze tegen de mevrouw die haar binnenliet.

'U bent toch de vrouw van meneer Keijser, de regent?'

De mevrouw kijkt haar verbaasd aan. 'Wat kan ik voor je doen?'

'Ik hoorde dat uw man met de burgemeester aan het praten is over Douwe Saris, een goede vriend.'

'Dat weet je goed. 't Gaat over een jongen die niet deugt. Hij heeft een schuur in de brand gestoken, waardoor er een arme oude man verbrand is.'

'Nee, dat is niet zo,' zegt het meisje heftig. 'Douwe heeft dat niet gedaan en hij is niet slecht. Hij heeft mij en m'n broertje bevrijd.'

'Nou-nou, meiske, moet je zo'n toon aanslaan?' vraagt mevrouw Keijser.

Laurie wil nog meer zeggen, maar er komt geen woord meer over haar lippen. Met het hoofd op haar armen snikt ze het uit.

Er valt een doodse stilte in de kamer. Wat moeten de vrouwen hier mee aan?

Dan staat er een oudere mevrouw op. Ze legt haar hand op Laurie's hoofd en zegt: 'Meisje, je hebt het moeilijk. Ik ben mevrouw Reinbach, ik geloof dat je iets vertellen wilt. Zeg het maar, en doe het rustig in het Engels, want jouw taal versta ik goed.'

Laurie krijgt nieuwe moed. Mevrouw Reinbach is de vrouw van de burgemeester en ze verstaat Engels! Nu kan ze tenminste vrijuit praten. Dat Hollands lukt nog steeds niet zo best. Dan vertelt ze alles wat Douwe beleefd heeft. Hoe hij om zijn zusje te redden het land uitgevlucht is en hoe hij in Amerika moest rondzwerven. Dat hij pas maanden later van zijn vriend hoorde dat zijn zusje de brand niet gesticht kón hebben. Hoe hij daarna Laurie en haar broertje uit een grot bevrijdde. En ze vertelt ook van hun reis en van hun vriendschap met meneer Van Klinkhoven.

Bij het horen van de naam Van Klinkhoven, kijken de dames elkaar twijfelend aan.

'Weet je zeker dat je je niet vergist?' vraagt mevrouw Reinbach. 'Meneer Van Klinkhoven is een heel bekende man. Hij is sinds kort in Den Helder aangesteld. Mijn man kent hem goed.'

'Mevrouw, ik vergis mij niet. De zus van Douwe en mijn broertje zijn nog bij hem. Eigenlijk zou hij ze vandaag al met zijn rijtuig naar ons toebrengen, maar het waait te hard. We denken dat hij niet over zee durft.'

Mevrouw Reinbach vertaalt Laurie's woorden in korte zinnen. De vrouwen in de kamer luisteren verbaasd toe. Mevrouw Keijser lijkt spijt te hebben van haar boze opmerking.

'Ga maar verder,' zegt ze vriendelijk, 'we willen graag alles weten. Ook over die gebroeders Kossman, want we horen vaker klachten over hen.'

Laurie vertelt nu wat ze de vorige avond met eigen ogen gezien heeft. Welke streek Melle en Melis uithaalden bij het innen van de huur.

Als mevrouw Reinbach haar woorden vertaald heeft, beginnen mevrouw Keijser en haar bezoeksters opgewonden met elkaar te praten. Hoe kan zoiets gebeuren op een eiland als Texel? Het is werkelijk schandalig.

'Die Douwe moet zo gauw mogelijk gehoord worden,' zegt mevrouw Reinbach. Ze staat op en zegt: 'Ik ga naar Den Burg.'

'Maar eh... dat kunt u toch niet zomaar doen?' aarzelt een van de vrouwen.

'Nee, we kunnen de mannen toch niet storen bij hun besprekingen?' zegt een ander.

'Ze zullen echt wel luisteren,' zegt mevrouw Reinbach. 'Ik ben niet bang voor m'n eigen man.'

Ze slaat haar mantel om en loopt naar de deur. 'Meisje uit Boston, kam je haren en strijk je mantel recht. Ik wil dat je meegaat.'

Laurie schrikt. Wat moet ze vertellen bij al die strenge mannen? Maar als ze aan Douwe denkt, gaat ze toch mee naar buiten.

Er wordt een koets uit de schuur gereden waar ze kunnen instappen. Een knecht zal hen brengen.

Den Burg ligt gelukkig niet ver en in de koets merken ze niet veel van het slechte weer.

22. Het verhoor in Den Burg

In Den Burg brengt de knecht zijn passagiers naar het raadhuis, waar ze uitstappen. Laurie moet op een bank in de hal gaan zitten en mevrouw Reinbach vraagt haar man te spreken. Deze kijkt niet erg vriendelijk. Hij houdt er niet van tijdens een vergadering gestoord te worden. Mevrouw wisselt snel wat woorden met hem, waarna hij de zaal weer binnen gaat.

'Laten we hopen dat ze luisteren willen,' zegt mevrouw Reinbach als ze naast Laurie is gaan zitten.

Er zijn maar enkele minuten verstreken als meneer Reinbach weer naar buiten komt. Hij wenkt zijn vrouw en Laurie. Ze moeten in de zaal op speciale stoelen gaan zitten. Het lijkt wel een rechtszitting. Laurie is zenuwachtig.

Vanachter een gordijn van blauwe tabaksrook kijken de mannen wantrouwig naar Laurie. Ze zijn niet van plan zich beet te laten nemen. Ook niet door een mooi meisje met een bijzonder verhaal. Nadat mevrouw Reinbach Laurie's verhaal kort heeft verteld, komen de vragen los. Scherpe vragen waar Laurie niet omheen kan. Soms moet mevrouw Reinbach een en ander uitleggen, maar als Laurie de vraag begrijpt, komt ze steeds met een helder antwoord. De mannen voelen algauw dat Laurie niet zit te fantaseren. Vooral omdat ook alles wat ze over meneer Van Klinkhoven vertelt, blijkt te kloppen. Die kinderen zijn echt met hem meegereisd en ze hebben echt bij hem gelogeerd…

Als de raadsleden al hun vragen gesteld hebben, moeten mevrouw Reinbach en Laurie weer even naar de hal terug. Daar wachten ze op het besluit van de raad.

Douwe loopt voor de zoveelste keer een rondje door zijn koude cel. Er was al niet veel licht, maar nu is het bijna donker. Hij probeert te schatten hoe lang hij hier nog moet zitten. Als alles vlot gaat, toch zeker twee weken en daarna wordt hij misschien tot een lange gevangenisstraf veroordeeld.

Als hij daaraan denkt voelt hij zich wanhopig. Hij gaat sneller lopen en zucht diep.

Opeens hoort hij voetstappen naderen. Zullen ze eindelijk eten voor hem brengen? Langzamerhand loopt hij te rammelen. De deur gaat open en de bewaker wenkt.

'Kom mee! De burgemeester wil je spreken.'

Douwe snapt er niets van. Hij zou toch pas over een week of twee voor het eerst verhoord worden? Verbaasd laat hij zich naar de vergaderzaal brengen. Daar wordt hij scherp geobserveerd door de mannen van de raad.

Voor het oog kalm gaat hij op een grote stoel zitten. Ze mogen niet merken hoe gespannen hij is.

Een grijze, deftig geklede man, vraagt of hij nu meteen zijn verhaal wil doen. De raad verwacht dat hij alles zonder omwegen zal vertellen. Douwe moet even tot zichzelf komen, maar dan komt hij algauw op dreef. Hij is blij, eindelijk gehoord te worden. Als die strenge mannen met hun strakke gezichten hem nu ook maar geloven. Ze zien er niet bepaald goedgelovig uit.

Hun argwaan blijkt ook uit de vragen die ze hem na zijn verhaal stellen.

Terwijl hij met de vreemdste vragen bestookt wordt, verbaast Douwe zich steeds meer. Hoe kan het dat die mannen zoveel van hem afweten? Heeft er iemand over hem gepraat? Hij snapt er niets van.

Gelukkig hebben de raadsleden na een poosje genoeg gehoord. De zaalbode loopt naar de deur en wenkt iemand binnen. 't Is een deftig geklede mevrouw. Achter haar loopt een meisje met lang donker haar.

Op dat moment houdt Douwe zijn adem in.

Nee, dat kan niet... Dat is... Laurie!

Laurie... Zij was hier dus al... zij was hier... Nu snapt Douwe alles. Laurie heeft hetzelfde verhaal moeten vertellen. Ze hebben eerst naar haar geluisterd en nu naar hem, en gekeken of de verhalen met elkaar klopten.

Maar hoe is ze hier terechtgekomen? Is ze helemaal van De Waal komen lopen?

Als Laurie Douwe ontdekt, wuift ze even vlug naar hem en hij wuift terug.

Zodra mevrouw Reinbach en Laurie zijn gaan zitten, staat er een meneer aan het hoofd van de tafel op.

'We hebben het getuigenis van de jonge mensen gehoord,' zegt hij op plechtige toon, 'ik meen dat we nu deze zitting ook meteen maar moeten voortzetten.'

Hij neemt een slok water en zegt: 'Ik gelast dat de gebroeders Melle en Melis Kossman met grote spoed hier voor de raad gebracht worden.'

De onderschouten salueren en lopen naar het rijtuig toe, waar vanmorgen Douwe mee was opgehaald. De soldaat gaat nu ook weer mee.

Terwijl de raad in de tussentijd een andere kwestie afhandelt, brengt mevrouw Reinbach Douwe en Laurie naar haar huis, dat tegen het raadhuis aangebouwd is. Ze krijgen er een maaltijd en Douwe kan zich warmen bij de haard.

Hij is verbaasd dat niemand meegaat om hem te bewaken. Hij zou zo de benen kunnen nemen. Het lijkt hem geen slecht voorteken. Intussen geniet hij van een stevig bord erwten met schapenvlees, en een beker melk.

'Laurie heeft vandaag veel voor je gedaan, Douwe,' zegt mevrouw Reinbach. 'Als je haar had zien rijden op dat paard... Ze vloog gewoon langs de weg. En precies op het goede adres kwam ze binnenvallen.'

'Goed van je, Laurie!' zegt Douwe dankbaar. 'Maar hoe kwam je aan dat paard en hoe wist je waar je moest zijn?'

'Ik mocht het paard lenen van Tijs' vader en hij wist ook in welk huis ik alles moest gaan vertellen.'

Ondanks zijn spanningen moet Douwe lachen. 'Ja,' zegt hij, 'Tijs heeft het niet van een vreemde. Die weet ook altijd precies waar hij moet zijn en waar alles gebeurt.'

Na de maaltijd worden Douwe en Laurie gevraagd weer in de raadszaal te gaan zitten. Ze proberen iets te begrijpen van de kwesties die besproken worden, maar er klinken zulke moeilijke woorden, dat ze algauw opgeven.

Gelukkig stappen na een poosje de onderschouten en de soldaat weer binnen.

Komt er nu een eind aan alle spanningen?

Een van de mannen loopt naar de burgemeester toe.

'Het spijt me, meneer Reinbach, ik heb uw bericht niet kunnen overbrengen. De gebroeders waren niet thuis.'

'Hebt u gevraagd of ze gauw terugkomen?'

'Ik heb ernaar geïnformeerd, maar ik denk niet dat ze ooit nog terugkomen. Ze zijn met hun geld en papieren spoorloos van het eiland verdwenen. De knecht die we spraken, vertelde dat ze hals over kop met hun snelste sjees naar Oudeschild zijn gereden, en daar zijn ze aan boord van een schip gegaan.'

Er klinkt in de zaal een verbaasd gemompel. Dit had niemand verwacht.

Meneer Reinbach staat op. Hij schraapt de keel en zegt: 'Ik denk, geachte leden van de raad, dat de haastige verdwijning van de gebroeders Kossman antwoord geeft op onze laatste vragen. We weten nu zeker wie de waarheid gesproken hebben en wie niet.

Ik draag de bewakers op, de kinderen naar huis te brengen en hen verder ongemoeid te laten. En tegelijk beëindig ik hiermee de zitting.'

Moeder en opa zijn stomverbaasd als ze Douwe en Laurie het huis zien binnenkomen. Ze waren bang dat Douwe toch nog veroordeeld zou worden. Nu heeft hij alleen moeten beloven voorlopig in de buurt te blijven, want officieel staat hij nog onder arrest.
Het paard van Tijs' vader zullen ze de volgende dag gaan halen. Dat dier blijft een nachtje in de stal van regent Keijser.
Als moeder en opa horen van de vlucht van de gebroeders Kossman, worden ze stil.
'De rollen zijn omgedraaid,' zegt opa na een poosje. 'Nu zijn zij op de vlucht. Misschien leren ze er iets van.'
'Dat hopen we dan maar,' knikt moeder.
'Eigenlijk zijn het zielige stumpers,' gaat opa verder. 'Wat hebben ze nou bereikt met hun geschraap en gegraai?'
Douwe voelt zich enorm opgelucht. Eindelijk is de dreiging weg. Nu kunnen ze plannen gaan maken voor de toekomst.
Laurie denkt er waarschijnlijk net zo over. Ze kijkt zo blij en ze strijkt Douwe zo vrolijk door zijn stugge haren. Ze weet: als Cecil en Antje door meneer Van Klinkhoven gebracht worden, komt er een feest. Een feest dat ze zich hun hele leven zullen blijven herinneren.

23. Grote plannen

De terugkeer van Antje wordt inderdaad vrolijk gevierd, en het is meteen een warm welkom voor Cecil.

Meneer Van Klinkhoven zit glimlachend toe te kijken. Hij vindt het prachtig dat Douwe zo snel weer op vrije voeten is, en dat de laffe broers hals over kop moesten vluchten.

Pas nu wordt bekend hoeveel mensen geleden hebben onder hun valse streken. Een van hun knechts bekent dat hij de tondel uit het huis van de familie Saris heeft gestolen om daarmee de boet in brand te steken. De broers Kossman wilden daarmee Douwe verdacht maken. Dat de boet op instorten stond, wist bijna niemand. Wel waren de mensen geschokt omdat er bij de brand een oude man was omgekomen.

Bijna met tegenzin rijdt meneer Van Klinkhoven de volgende dag naar Oudeschild om weer naar Den Helder overgezet te worden. Hij hoopt dat zijn jonge vrienden vaak bij hem op bezoek zullen komen. Aan de haven wuift de hele familie hem na.

Terwijl ze naar huis terugwandelen, laat Antje aan Cecil de omgeving zien: de vogels, de schapen, de bloemen, de boerderijen... Ze heeft haar arm om hem heengeslagen.

'Ik heb altijd een klein broertje willen hebben,' zegt ze, 'en nu heb ik er een.'

'Ja, en dan vergeet je die ouwe Douwe zeker,' moppert haar echte broer. Antje schatert het uit. 'Ga jij maar naar Amerika,' zegt ze spottend.

Ze durft nu wel zulke grapjes te maken, want ze weet dat Douwe toch niet meer weg wil.

Ongeveer een maand later krijgt Douwe bericht dat hij niet langer onder arrest staat. Burgemeester Reinbach feliciteert hem en belooft alle hulp bij het bouwen van een boerderij. Laurie en Cecil krijgen daarmee ook toestemming om op Texel te blijven.

Nu breekt er een tijd aan van plannen maken, graven en bouwen. Langzaam verrijst er een prachtige nieuwe boerderij in het veld. De werklieden zetten er vaart achter.

Laurie en Cecil ontwerpen samen de schuren, de tuin en de hokken. Soms zijn ze er lekker over aan het bekvechten. Wel zijn ze het eens over de naam die de hoeve zal krijgen: Het Nieuwe Baken. Douwe zit er vaak bij en geeft advies. Zo verstrijken de maanden en nog voor de winter gaan de kinderen Rubin en de familie Saris in de boerderij wonen.

Voor alle bewoners is het een geweldig gebeuren. Opa leeft helemaal op. Soms lijkt het wel of hij jonger wordt in plaats van ouder. Hij krijgt zijn eigen kamer en vaak maakt hij wandelingen met Cecil langs de Waddenzee. Bij de dijk verzamelen ze samen drijfhout voor de haard.

Moeder geniet elke dag van het leven op de boerderij. Zij beheert de keuken en maakt de maaltijden klaar. Antje zorgt voor de dieren op het erf: de kippen, de geiten, en ook de lammetjes die met de fles gevoerd moeten worden omdat hun moeder ze verstoten heeft. Al die dieren hebben het maar wat goed bij haar.

Eigenlijk lijken de bewoners van Het Nieuwe Baken een beetje op eilandbewoners op een eiland, zo gaan ze op in hun nieuwe leven.

Maar soms dringen berichten van buiten tot ze door, waar tot laat in de avond over gepraat wordt. Zoals het nieuwtje, dat er een brief van Tijs is gekomen. Hij maakt het goed en heeft een stuk grond gekocht, maar hij moet nog veel sparen voordat hij een eigen bedrijf kan starten. Douwe schrijft dezelfde avond nog een brief terug. Tijs zal wel verbaasd zijn als hij het verhaal over Cecil en Laurie hoort.

Ook over de gebroeders Melle en Melis komt er nieuws binnen. Ze zijn naar Oost-Indië gevlucht en houden zich daar schuil. Ze zullen wel nooit meer naar Texel terugkeren.

24. De oude man

Er zijn tien jaren verstreken. Op en om het eiland wordt hard gewerkt en druk gebouwd. Den Helder groeit uit tot een belangrijke havenstad. Douwe is geworden wat hij altijd zo graag wilde zijn: een boer met een eigen bedrijf. Hij werkt van vroeg tot laat, en wordt daarbij nog steeds trouw geholpen door zijn huisgenoten.

Op een middag, als Douwe en Laurie naar de markt in Den Burg zijn geweest, doet Laurie een vreemde ontdekking. Ze ziet op de vensterbank van de keuken een gedichtenboekje liggen dat haar heel bekend voorkomt.
'Waar komt dat vandaan?' vraagt ze. 'Dit zijn Engelse gedichten. We hadden thuis net zo'n boekje. Wat bijzonder!'
Ze streelt het boekje en bladert erin. Dan opeens moet ze gaan zitten. Aan de binnenkant van het omslag staat de naam van haar moeder en ze herkent de bloempjes die ze er zelf als kleuter in tekende.
'Wie heeft dat hier gelegd?' vraagt ze verbijsterd. 'Is hier iemand geweest?'
'Er kwam vanmiddag een verkoper aan de deur,' vertelt het dienstmeisje. 'Een eigenaardige man, ik verstond niet wat hij zei.'
'Is hij binnen geweest?'
'Nee, maar hij kan het boekje door het open raam daar neerge-

legd hebben. Ik kocht wat spulletjes van hem en gaf hem een peperkoek met melk. Daarna is hij weer vertrokken.'

'Hoe zag hij eruit?' vraagt Douwe.

'Een kromme man met een kaal hoofd en een wilde baard. Hij liep erg moeilijk, ik had medelijden met hem.'

Laurie en Douwe kijken elkaar aan. Ze denken hetzelfde.

'Welke kant is die man opgegaan?'

'Die kant op, richting Oosterend.'

Zonder nog iets te zeggen hollen de twee naar de sjees die nog op het erf staat.

Urenlang zoeken ze langs wegen en binnenwegen, langs dijken en paadjes. Dan, bij het donker worden, zien ze een eenzame figuur zitten. Hoog op de dijk bij Oudeschild. Een kale man met een grijze baard. Zijn koffer met koopwaar staat scheef naast hem in het gras.

Douwe en Laurie stappen uit en hollen naar de man toe. Hij lijkt te slapen, maar als ze vlak bij hem zijn, kijkt hij ineens om. Hij springt op, grijpt zijn koffer en wil wegstrompelen, Maar Laurie heeft hem in een ogenblik ingehaald. Ze grijpt hem bij de schouders en kijkt hem aan. Dan is het of alles om haar heen begint te draaien: 'Vader...' juicht ze, 'vader! U was de enige die wij nog misten!' Tranen stromen over haar wangen.

'Mister Rubin!' zegt Douwe. 'Waarom bent u niet gebleven? U was al bij ons huis...'

'Jullie weten niet wat er allemaal gebeurd is, kinderen... Ik durfde jullie niet onder ogen te komen. Ik heb hier een paar dagen rondgelopen om te kijken hoe het met jullie ging. Toen ik zeker wist dat alles goed was, wilde ik weer vertrekken.'

'Vertrekken? U gaat met ons mee en u blijft altijd bij ons.'

'Maar jullie weten het niet... Och, ik kan het gewoon niet zeggen...'

'U moet het juist wel zeggen,' dringt Laurie aan. 'Bent u uit de gevangenis ontsnapt?'

'Nee, dat niet. Ik heb mijn straf tot de laatste dag uitgezeten, maar ik ben dom geweest; vreselijk dom.'

'Heeft het met moeders erfenis te maken?'

'Zie je wel, je raadt het meteen,' zucht mr. Rubin. 'Het gaat over die erfenis. Door mijn domheid zijn anderen er met jullie erfenis vandoor gegaan. Cecil en jij hadden steenrijk kunnen zijn en nu is er bijna niets meer.'

'U bent er toch, pa! U betekent toch meer voor ons dan al dat stomme geld,' zegt Laurie. Ze drukt haar vader tegen zich aan.

'We hebben het goed, mister Rubin,' zegt Douwe geruststellend. 'Onze Hemelse Vader heeft ons Zijn kapitaal gegeven: paarden, koeien, schapen, appelbomen, bessenstruiken... En, we hebben elkaar! Dat is nog veel meer waard.'

Laurie wenkt. 'Komt u vlug mee naar het rijtuig. De anderen zijn vast ongerust omdat we zo lang wegblijven.'

'Ja, die lieve dochter van u heeft gelijk,' verzekert Douwe. 'U was de enige die bij ons nog ontbrak.'

'Jullie weten niet half hoe ik de laatste tijd heb lopen tobben. Hoe moet je aan je kinderen uitleggen dat ze een gigantisch bezit moeten missen omdat hun vader de verkeerde mensen vertrouwde?'

'We praten er niet meer over,' zegt Laurie beslist. 'In de boerderij is nog een kamer vrij. Die hadden we al jaren geleden voor u bestemd.'

'Is mijn zwerftocht nu dan toch eindelijk voorbij?' zegt mr. Rubin. Hij kan het haast nog niet geloven.

'U bent binnen het uur thuis,' verzekert Douwe, 'en we hopen dat u altijd blijft.'

Verklarende woordenlijst

Deurwaarder	-	Ambtenaar die geld gaat innen bij mensen die niet willen of kunnen betalen
Diender	-	Ouderwets woord voor politie-agent
Drijfhout	-	Aangespoeld hout, vaak afkomstig van scheepswrakken
Fregat	-	In vroeger tijden een groot zeilschip met drie masten
Gerecht	-	Rechtbank
Keet	-	Loods, grote schuur voor het opslaan van spullen
Klipper	-	Snel zeilschip
Koksmaat	-	Hulpje in de scheepskeuken
Kolk	-	Diepe poel met drinkwater voor het vee
Landrot	-	Scheldnaam van scheepslui voor iemand die liever op land is dan op zee
Mijl	-	Engelse lengtemaat, ongeveer 1600 meter of 1,6 kilometer
Noordhollands Kanaal	-	Kanaal van Amsterdam naar Den Helder
Notaris	-	Persoon die belangrijke zaken regelt voor zijn klanten
Parlevinker	-	Iemand die zijn waren langs de schepen vent
Pruttelkan	-	Ouderwetse koffiekan waarin de koffie al borrelend gekookt wordt
Rede	-	Veilige ligplaats voor schepen. Op de Rede van Texel lagen schepen vaak voor anker die door ongunstig weer niet konden uitvaren
Regent	-	Belangrijke bestuurder van een stad of provincie
Saliemelk	-	Melk die op smaak gebracht is met salie, een

		geurig kruid. Werd vroeger veel gedronken
Schapenboet	-	Zo noemt men op Texel een schaapskooi
Scheepsrol	-	Hierop worden alle vaargegevens van een schip en zijn bemanning vermeld
Schout	-	In oude tijden in ons land het hoofd van de politie
Sheriff	-	Hoofd van politie in Amerika
Sjees	-	Wagen met meestal 2 wielen voor 2 personen, getrokken door 1 paard
Tij	-	Getij. Eb en vloed
Tondel	-	Koker met vuurstenen of slagijzers om vuur te maken. Er waren toen nog geen lucifers
Uitkijk	-	Plek boven in een mast van een schip om goed de omgeving te kunnen verkennen.
Vlet	-	Platte schuit
Voogd	-	Als ouders niet voor hun kinderen kunnen zorgen, wordt er iemand aangewezen die voor hen kan zorgen en opkomen.
Vuursteen	-	Steen die gaat vonken als je er hard tegenaan slaat, waardoor je een vuurtje kunt maken.
Westen, de	-	Verdwenen dorp op Texel. Vroeger het grootste dorp van het eiland. De bewoners werden verdreven door stuifzand uit de duinen.